ちくま文庫

うんこ文学

漏らす悲しみを知っている人のための17の物語

頭木弘樹 編

筑摩書房

悲劇とは
みずから羞《は》ずる所業《しょぎょう》を
敢《あえ》てしなければならぬことである。
この故《ゆえ》に
万人《ばんにん》に共通する悲劇は
排泄《はいせつ》作用を行うことである。

芥川龍之介

編者からのご挨拶　生きるかなしみとしての排泄

排泄は、秘めやかに個室で行なわれます。外で漏《も》らしても、その思い出は、心の奥底の個室に封じ込められます。

かなしいのは自分だけになってしまいます。でも、漏らしたことのある人は、意外に多いのです。みんな隠しているだけで、〝漏らすかなしみ〟を知っている仲間はたくさんいます。もし、みんなで打ち明けあえれば、「おれも」「わたしも」となって、心の解放ともなり、心のつながりとなるでしょう。

排泄について、もっとオープンに話し合える場を作れないものかと願っています。

そんな思いもこめて、このアンソロジーを編みました。

文学がいかに、うんこを描いてきたか、ご堪能《たんのう》ください！

目次

第四便　うんこへの特別な思い　135

第一便

ある日、ついに……

自分だけは漏らさないと思っていたのに、
これまではぎりぎり大丈夫だったのに……

帰り道で漏らす

［私小説］

出口

尾辻克彦

〝もういままでの人生に
何十回、何百回と体験してきた
腹の中の腹黒い渦巻きが、
また発生している。
いままでにそれを何度となく抱えて歩いて、
いつも無事に切り抜けてきた。〟

うんこを漏らした話は、下ネタや笑い話になってしまいやすいですが、芥川賞作家が純文学として書いた「うんこ文学」もあります。

小学生の頃に漏らしそうになった経験は、たいていの人にあるでしょう。

著者は、何十回、何百回も漏らしそうになりながら、なんとか持ちこたえます。

そうすると、自信もついてきます。本当に漏らすことはないだろう、自分は大丈夫と。

ところが、ある日、ついに……。

尾辻克彦（おつじ・かつひこ）
1937－2014　小説家。赤瀬川原平名義で芸術活動も。本名は赤瀬川克彦。横浜市生まれ。武蔵野美術学校中退。千円札を印刷加工した芸術作品を発表し、裁判となる。1979年、『肌ざわり』で中央公論新人賞、1981年、『父が消えた』で芥川賞を受賞。「路上観察学会」など独自の活動を展開。1989年、映画『利休』で日本アカデミー賞脚本賞を受賞。1998年、エッセイ集『老人力』がベストセラーとなり、流行語大賞の最終10候補に入る。

口を開ける。

食物を入れる。

口を閉じて、食物を飲み込む。

食物は体内でゆっくりと渦を巻きながら、体内を少しずつ下降していく。

いちばん下まで下降すると、そこにある穴から出ようとする。

それが問題である。

出ようとするのは自然のなりゆきだけど、自然ではなく、ムリをして出ようとする場合がある。

出るべきときでないときに出ようとする。あるいは何か、ムリな形で出ようとするとか。

これがパニックである。

映画館やスタジアムでも、このパニックが起る。その場合、満員の入場者が一気に出口に殺到する。ふつうに出るなら何ごともなく出られる出口が、パニックの時には一気に出ようとする群衆に対応できない。そうすると動揺した群衆が出口で折り重なって、大惨事を招くことになる。

人体の肛門でも結果は同じである。

誰でも小学生のときに経験があるだろう。

体内がどのような具合になっているのか、自分の体でありながら自分でも知らないものだが、しかし出口に指示を与えることはできる。意志の力によって、

（出すな、出すな）

という指示を送りつづける。それが体内を魔法のように伝わっていき、伝えられた出口では必死になって、殺到する群衆を押しとどめる。周辺の筋肉を総動員して踏みこたえる。

だいたい学校からの帰り道によくそれは起きた。

もちろん授業中からその予兆はある。体内の渦巻きが、次第に角張ってくるのだ。しかしそれは気のせいだろうと思うことで、その渦巻きはやり過せる。すると何とかそれはそれで丸く収まる。しかしどことなくまだ不安は残している。だから休み時間になっても、みんなと同じように明るい顔はできない。アハハと笑うことがあっても、その表情の裏側では、人間の不幸について考えている。両親が離別したのか、それと

も何か邪悪な関係がからまっているのか、言いしれぬ家庭の不幸を背負った表情の子供がいるものである。

でもそれは、同じ不幸を背負った子供にしかわからない。その表情の裏側を見抜くことはできない。だからほとんどの子供たちは、そのアハハの笑顔の表面だけを見て、その裏側まではのぞけないのだ。そして屈託《くったく》もなく運動場を跳《は》ね回っている。

そのようにしてまた授業がはじまり、はじまってしまうと教室は密室状態になるわけで、次のベルが鳴るまでは絶対に外へ出られない。

そうなるのを見透していたかのように、いったん収まっていた体内の渦巻きは、ふたたびゴトゴトと角張りながら回転をはじめる。体内で角がぶつかるたびに、渦巻きはエヘラ、エヘラと笑いながら、両手の縛《しば》られた人間の脇《わき》の下をくすぐるみたいに、次第にその回転は唸《うな》りを上げる。

常識で考えれば、休み時間に何故出しておかなかったのかということになる。便所に行って「大」をすればすむことではないか。

しかしいまだから「大」と簡単にいうが、当時の小学校における「大」は即「女」になるのだった。便所には「大」と「小」があるというより、男便所と女便所の二つだけがあったのである。学校で「大」をするとは、すなわち女便所へ入ることだ。そんな恥しいことはとてもできない。

　思春期には異性への不思議な引力があらわれるが、思春期の前には、異性への不思議な斥力《せきりょく》を持ちあわせているものである。

　その結果、朝起きて家でしそこなった「大」というものは、学校にいる間中抱え込んで、家に帰るまで出すことができない。

　そんなわけで、いくつかの授業時間と休み時間の苦難を乗り越えたあと、学校からの帰り道が最後の闘いの場となるのだった。

　もちろんその帰り道を突っ走って、駈け抜けたいのはやまやまである。しかしスタジアムの中ではすでにパニックが発生しており、群衆はもう出口へ殺到しはじめている。そのスタジアムを抱えて、そこに刺激を与えぬように、そうっと歩いているのだから、これで走ったりしたらどんなことになるかわからない。いまはとにかく、スタジアムのあちこちにいる係員が全力を尽して、いきり立った群衆をしずめるほかはない。

「何でもない、何でもない。皆さん並んで」

「大丈夫、大丈夫。みなさん落着いて」

「順番に、順番に、全員出られますから」

そうやってなだめている間にそうっと家までたどり着くのだ。だけど家は遠い。まだまだ遥《はる》か彼方《かなた》。いっそ走って帰ったらどうだろうか。走ればスタジアムが揺れて、パニックは増大する。しかしその分早く着く。パニックを押さえてゆっくり歩くのと、パニックを見越して早く走るのと、どちらが得策か。

＊

そんなことを考えながら、私は夜道を歩いていたのだ。終電を降りて家まで十五分。ちょっとおかしいのである。たしかに二週間ほど前、急激な日焼けから日射病みたいになってしまい、夏風邪のような症状を呈した。熱こそ出なかったものの、猛烈な下痢に襲われ、体力が一気になくなった。さすがに酒を控え、食事も強力なものは控えて、この歳になれば自分の体の扱い方はわかるもので、自制心さえあれば健康はちゃんと維持できる。とはいえその自制が難しいのだが、とにかくじーっと低く這《は》うような生活をつづけて、何とか持ちなおしてきた。この歳まで生きてくれば、健康の原理ぐらいはつかんでいる。

そんな自信があって、今日はもう大丈夫と生ビールをジョッキで四杯飲んでうまかったのだが、それがまだ時期尚早《しょうそう》であったのかもしれない。電車に乗っている間はまるで平気だったが、降りるころ、体内にぐっと垂《た》れ下がるものがあった。しかし駅で「大」をするほどのこともないと思い、そのまま改札を出てきた。小学校での「大」も気が進まないものだが、大人の終電の駅での「大」というのも、何だか駅員さんに悪いみたいで。

もちろん切羽《せっぱ》詰《つ》まればそれどころではないのだけど、ふつうは終電の駅なんて、そのまま改札を通って出るものである。いちいち「大」をしたりはしないものだ。

それがしかしちょっとおかしいのである。そうやって改札を出て、今日は雨も降らないし、そう暑くもないし、いい具合だなんて歩きはじめて、五分ほどして、ちょっとおかしい。もういままでの人生に何十回、何百回と体験してきた腹の中の腹黒い渦巻きが、また発生している。いままでにそれを何度となく抱えて歩いて、いつも無事に切り抜けてきた。小学生のときだって、もうダメだ、もうダメだと思いながら何とか家まで持ち帰った。それがギリギリの場合など、しゃがむと同時に出口が開かれる。しゃがみながらゲートが開き、つまり群衆がワッと出ながらしゃがむわけで、しゃがむと同時に脱ぐズボンの後方と群衆とが、ほとんどニアミスの状態で、おそらくあと数ミリのところでクルリとすり抜けて、ことなきを得ているわけなのである。

そんな経験を何度か繰り返してみると、やはりそこまで放出を持ちこたえるのは意志の力かと思ったりする。たんに物理的限界であれば、そんなニアミス状態が何度も起るはずがない。もうダメだ、あと五分、あと十メートル、あと二メートル、あとドアを開けるまで、閉めるのはともかく、脱いでしゃがむまで、という意識があるからそこまでキッカリ持ちこたえられるのであり、逆にまたそこまでしか持ちこたえられないのだろうと思う。

と、そんなことを考えながら、しかし家までの帰り道の三分の一を歩き、次に三分の二を過ぎた辺りでさらにおかしくなった。それがぐんぐん深まってくる。その力が強い。急激である。あれよあれよという間に、気がつけばもう崖っぷちだ。

町は寝静まっている。しかし寝静まっていても町だ。公共空間である。裸にはなれない。やはり何とか家まで持ちこたえなければいけない。もちろん持ちこたえるだろう。これまでの人生で、すべてこれをクリアしてきた。とはいえ今回は風雲、急。まだ道のりは半分ちょっと。相当な苦難が待ち受けている。考えると気が滅入《めい》る。考えずに町並みを眺める。まだ窓の明かりのついている家もある。壁の塗り替え途中の家もある。足場がそのままなのは、また明日作業をつづけるのだろう。とか何とか、頭は冷静な社会人を装《よそお》いながらも、足は押さえきれずに浮き上がってきている。しかし走れば破局が近づく。長年の経験でわかっている。知り尽《つ》くしている。だから歩く体は妙な角度を保ち、絶望感が近づいてくる。家まであと五分のところ。距離にして二百メートルか。絶望感がなおも近づく。そんなもの受け入れてはいけないと、邪険《じやけん》に押しのける。でも絶望感はすぐに引き戻されて近づいてくる。私はデータに頼った。この苦労は何度も経験している。でも失敗はしていない。赤ん坊ではあるまいし、こんなことで失敗するわけがない。必ず家に帰り、玄関のドアを開けて、靴を脱いで、もう一つ輝やけるドアを開けて、天国の穴にしゃがみ込むまで、失敗するはずがない。そう勇気づけて、しかしそのあまりの勇気づけが、すでに敗北を感知している。でもそんなはずはない。あり得ないことだ。私はこれまでの人生で得たあらゆる技法を使った。あらゆる秘術を尽して、その防衛に努めた。しかしもう、限界を悟《さと》るほかはなかったのである。

最初の群衆が出口を出ていった。

私はうつむいて歩きつづけていた。

衣服の中を、群衆が駈け降りていく。

夜の町はひっそりと静まり返っている。

明るい窓の家は、まだ人が起きて、読書でもしているのだろう。

二度目の群衆が出口を出ていった。

私は厳然と同じ歩調を保ちながら、ゆるい坂道を歩きつづけた。ふと見たものには、夜中のふつうの歩行者に見えただろう。

三度目の群衆が出口を出た。晴れ晴れとした筋肉。万歳三唱をするゲートの係員たち。何と素晴しい。何故いままでこれが出来なかったのか。

群衆が衣服の中を転がりながら、靴の入口に達する。それがさらに靴の踵《かかと》を伝わり、歩く私を離れて、路上に移行したのが感じられた。つづいて二度目の群衆、三度目の群衆も、衣服を出て、靴を伝わり、路上に移行していく。私は、私から分離していくものを振り返りもせずに、うつむいて歩きつづけた。

＊

ブザーを押すと、玄関の内側が明るくなった。ドアが開いて、家人《かじん》が顔を出す。私が黙って立っているので、怪訝《けげん》な顔をしている。私は笑いたかったが、これで笑うとグロテスクになる。といってマジメな顔をすると、その顔がミジメに落ち込む。結局どうという顔もつくれずに、いわばマジメな泣き笑いといった表情で、新聞紙といらないタオルを持って来てくれと頼んだ。家人は、いったい何を言いだすんだという目で私をのぞき込んで、何、あんた、何したの？　と呆《あき》れた顔をする。呆れながら、次第にニヤリとなって、のぞき込む。私はのぞかれるままにしていた。いやっだあ、どうしたの？　と言いながらもさすがに事態を察したらしく、私に言われたものを持ってきた。遠くから手を伸ばして渡しながら、私の衣服の下半身をのぞき込んでいる。群衆は私の体と衣服に接して駈け抜けたが、それは内側のことで、外側から見えるのはその裾《すそ》と靴のわずか一部なのかもしれない。とはいえ、私の顔に残り全部が露出している。あっち行ってろ、と言うと、ばっか、何やってんの、とクスクス笑いながら、あまりの事態に、もうこの弱みは一生握っているぞという自信を作り上げて、家人は消えた。

ホッとして、私はやっとミジメな気持になった。土間に広げた新聞紙の上で、靴を脱ぎ、靴下を脱ぎ、衣服を脱いで、それも脱ぎながら広がらぬように順々に丸めていった。

自宅の玄関に、裸体の男がいる。

その脱ぎ棄《す》てた一切をしっかりと新聞紙に丸め込んで、小走りに、玄関から五メートル先の浴室に駈け込んだ。ドアを締《し》めて、全面防水のタイル空間に収まってから、ホッと息をついた。もう濡れても汚れても許される、やっと天国の肌触りにたどり着いた。それからシャワーをひねって水温を調節し、体と衣服と靴と靴下と、すべてを洗い尽した。人肌の温水が、ピチピチとタイル空間を跳ねている。体と衣服にすがりついていた群衆は、次々に布を離れて流れていった。台風一過の気持よさが、去りゆく群衆を祝福していた。衣服の裏側の縫《ぬ》い目も、一筋一筋めくり返して、洗い流した。浴室のシャワーは一時間ほど温水を流しつづけていたのである。

＊

その後しばらく、私は家で仕事をつづけた。外からの連絡は電話だけで、自分の書いた原稿はファクシミリで送って、あとはテレビのプロ野球ニュースを見て、ふつうのニュースも見て、驚いたり笑ったりした。お腹のことでは、ビオフェルミンを二、三度飲んだ。そのほかは「大」も「小」も平和に、何の差し障りもなく送り出すことができた。そんなのは当り前のことだが、人間というのは当り前のことも一つ一つ考え、感じ、味わうことがある。

三日間神妙に仕事をしていて、やっと気持も回復してきた。家人が駅前のスーパーまで買い物に行くという。同行して久し振りに家を出た。まったくしょうがないわね、とか何とか、家人の言葉はまだスタジアム事件のことに触れながら、そのあとプロ野球の話などしている。私は相づちを打ちながら、視線を落して路上を眺めた。四日前、あの大惨事を招いた道である。何か後ろめたい気もする。路上にはタバコの空袋、ジュース缶のひしゃげたの、など転がっている。犬の糞も道路脇にある。それは明らかに犬の糞だ。私のとは違う。

予想したよりかなり手前に、そのモノらしきものがあった。それはそうだねえ、清原はしぶといよ、と家人に相づちを打ちながら、通り過ぎざまシカと見ると、モノとはいってもかなり形崩れしている。そのなりたちを考えれば当然のことだ。あるいはその後誰かが踏《ふ》んづけたのかもしれない。もう風化しはじめてもいるだろう。ちょうど知り合いとすれ違ったらしく、家人が軽く会釈《えしゃく》している。私も頭の傾きを少し同調させながら、それでも犬のものとは違うと思った。どちらかというと馬のものに似ている。

家から最も遠い地点で

［エッセイ］春愁糞尿譚《しゅんしゅうふんにょうたん》

山田風太郎

〃ふいに便意をおぼえ出した。
しかも、大きい方の、である。
そこで私は急遽《きゅうきょ》、帰還にかかった。
ところが、その日、私は右の次第で、
家から最も遠い地点に達していたのである。
「イヤ、コレハ、イカン」
歩きながら私は、次第に狼狽《ろうばい》して来た。〃

漏らした体験を書いてくれる人というのは、本当にありがたい。隠す人が多いのだから。

それも、笑い話としてではなく、そのとき感じた気持ちを、感じたとおりに書いてくれると、とても心にしみます。

山田風太郎は『魔界転生』など奇想天外な小説も書きますが、このエッセイでは自分の身に起きたことをそのまま語ってくれています。読者にも、漏らしたことのある仲間がいるはずだという、信頼と友愛が感じられます。

山田風太郎（やまだ・ふうたろう）
1922－2001　小説家。兵庫県生まれ。東京医科大学在学中に推理小説『達磨峠の事件』が『宝石』の第1回懸賞小説に入選。翌年の『眼中の悪魔』と『虚像淫楽』で探偵作家クラブ賞を受賞。1958年から連載した『甲賀忍法帖』がヒットし、風太郎忍法と呼ばれる忍法小説で一大ブームを巻き起こし、『魔界転生』などの伝奇小説の第一人者となる。ほかにも『戦中派不戦日記』『警視庁草紙』『婆沙羅』『人間臨終図巻』など、多様な著作がある。

私はいま多摩丘陵《たまきゅうりょう》の一つの山上に住んでいる。多摩丘陵というのは、全体としてどういう形で、どの程度にひろがっているものかよく知らないが、少くとも私の住んでいる丘は独立していて、一キロ余下ると、どの方角にでも麓《ふもと》に達し、丘をめぐること四キロ余で一周出来る。

丘の上り下りをいれると六キロ余となり、万歩メーターで計ると、ほぼ万歩に当るのではなかろうか。実は万歩メーターなるものは、どこからか頂戴《ちょうだい》して、ときどき装用して散歩することはあるけれど、以上の距離は、いちど車で一周してみて、そのメーターで知った結果であって、徒歩で計ったことはない。車で走ってみて、一口に万歩というけれど、いや毎日のこととなるとこれは大変なことだな、と長嘆したっきりである。

だから、ふだんの散歩は、ただ丘の上の住宅街だけですませるか、あるいは丘の上り下りだけで御免《ごめん》こうむることにしている。

ところが、去年の春のことである。

珍しく丘を下り、それをめぐりはじめた。——まさか一周するつもりはなかったが、出来るだけ歩いて見る気になった。丘を上下する道は八方にあるから、クタビレたら、どこからでも帰って来ることが出来る。

そういう気持になったのは、やはり春に浮かれてのことである。罰当りな性分で、この世に生まれて、ああ、ありがたいと思うことはほとんどないけれど、ただ三月の末から四月にかけては、なんとこの世は美しいものだろう、という感激に打たれないわけにはゆかない。木瓜《ぼけ》、れんぎょう、木蓮《もくれん》、芝桜、それに真打ちの桜が、丘の上の住宅街、丘の下の川のほとりなどに、次から次へ、撩乱《りょうらん》と咲きつづく。

で、私は「わが散歩道の花々」ともいうべきものをアルバムに加えてやろうと思い立って、カメラを肩にかけて出かけたのである。ついでに、ちょうどそのころ、春の高校野球か、プロ野球のディゲームかがあって、それを聴くためにトランジスターラジオも用意した。

さて、そのラジオを聴き、花々を撮りながら、丘の下の道を廻《めぐ》り出した。——と、そのうち、ふいに便意をおぼえ出した。しかも、大きい方の、である。そこで私は急遽《きゆうきょ》、帰還にかかった。

ところが、その日、私は右の次第で、家から最も遠い地点に達していたのである。

「イヤ、コレハ、イカン」

歩きながら私は、次第に狼狽《ろうばい》して来た。最初の自覚症状は軽いものであったのに、急速にそれは切迫して来たのである。

近くに知り合いの家はない。喫茶店などもない。とはいえ、これが全然別の遠い町ならそれなりに覚悟もしたろうが、とにかく、一キロ歩けば自宅に帰れる距離なのである。私は泳ぐように歩きに歩いた。さすがに多摩で、ところどころ畑も見え、蝶《ちょう》も舞っているが、いざとなると適当な場所はない。だいいち紙のたぐいも携帯していないのである。

人間、入るべきものが入らんのも辛いが、出すべきものが出せない苦しみはそれに数十倍する。

もう「わが散歩道の花々」どころの騒ぎではない。私はカメラをはねあげながら、駈《か》け出した。――

ところが、道は上り坂である。十何年か前、ここに住みついたときには何の苦もなくスタスタ上れた道が、近年はあまり早足で歩くと息切れを感じるようになっている。心はやたけにはやるけれど、身体がいうことをきかない。いや、そのうちに、走ることにも危険をおぼえる状態になった。

切れなんとする息をつめ、冷たいあぶら汗をにじませ、全身の緊張を一点に集中して、山上の住宅街を上ってゆくうち、家へあと数百メートルという地点で、ついに臨界に達した。

それでも私は、せめて何とかガスだけでがまんしてもらおう、と所在の筋肉に切願した。ところが、五秒、三秒、一秒……ズドドーンと爆発したのは、ほんものであった!

「ヤッタ!!!」

その刹那《せつな》、私はむしろ会心の笑いを浮かべた。

——少年のころ読んだ山中峯太郎《やまなかみねたろう》の熱血小説に、「あやうし!! 今こそあやうし!!!」とか「やぶれたり!! 日東の剣侠児!!!」などいう言葉がしょっちゅう出て来た。この!!!を、何とか一生のうち私も使って見たいものだと熱願しながら、何となく気がひけて、いままでついに使う機会がなかった。それを今!! 今こそ!!! ここに使うことが出来て、実に漆桶《しっとう》を抜くがごとく欣快《きんかい》の至《いた》りである。

こうなりゃ、もうヤケのヤンパチである。私は心ゆくまで思いのたけをはらすことにした。不幸中の倖《さいわ》いで、それはあまり軟質のものではなかった。で、それは熱泥《ねっでい》をハンモックに吊り下げたような按配《あんばい》となった。

弛緩《しかん》した笑顔で歩いてゆくと、向うから老人が現われた。道で逢《あ》うと、いつもひとなつこく話しかけてくる近所の老宗匠《そうしょう》である。それがもう私を認めて笑いかけて来る。──私は狼狽《ろうばい》し、しかし顔はニタニタしたまま、くるっとあぶないところで横の路地へ折れた。

帰ってみると、倖《さいわ》い家人は買い物にでも出かけたらしく、家の中は無人であった。私は浴室に駈け込んでシャワーを浴び、下半身の衣類はすべて裏庭の焼却器に投げ込んで火をつけた。そして、中の光景を想像して、いつか羽田空港の食堂で食べた焼けつくほど熱いウナタマ丼を思い出したり、また、ヤケクソという言葉は、こういう事態から発生したものではなかろうか、など、考えたりした。

そのまま私は何くわぬ顔をして澄ましていたが、そのうち帰ってきた家人が、ズボンが変っているのに気がついて尋ね、私はついに右の次第を白状した。

その結果、家人はこんな話をした。

いつか四ツ谷駅の陸橋を渡っていると、どうやら結婚式の帰りらしいモーニングの立派な紳士が、そばに引出物を積んだまま、人々のゆきかう陸橋の上で、盛大にオヤリになっていたのを見たことがあるそうだ。……そういう事態にたちいたるまでの紳士に、私は満腔《まんこう》の同情を禁じ得ない。

人間、勝手なもので、あとになると可笑《おか》しさばかりがコミあげて来る。

その夜、寝ていて、またこのことを思い出し、あの宗匠からのがれるチャンスがなくて立ち話のほかはなくなっていたらどうしたろう。

「こんにちは。いや、いい陽気になりましたなあ」

「空はウララカですなあ、一句、どうですか」

などニコヤカに話しながら、下半身のほうは盛大に作業続行中である。……と考えたら、ふいに真夜中ゲタゲタ笑い出して、しばらくそれがとまらなかった。

あくる日、また性懲《しょうこ》りもなく、またカメラとラジオを肩にかけて出かけようとした。こんどは万一にそなえて紙も用意した。ついでに、

「きょうはちょっと遠くまでゆくから、水筒でも持ってゆくか」

と、いったら、家内が、

「子供があかん坊のころ使った便器が物置にあるはずだから、それを背負《しょ》ってゆきなさいッ」

と、命令した。

右肩からカメラ、左肩から水筒、首にラジオ、背中に便器、腰に万歩メーターというでたちで散歩とはこれいかに。それに酸素吸入器と日の丸の旗でも加えたら、ま

るでヒマラヤ探検隊だ。

それ以後、やって来る知人に、何かのはずみでこの悲話を物語り、

「どうも、もうナガクはないな」

と、憮然《ぶぜん》とすると、これが意外にも、若い人でもみなこれと大同小異の体験談をお持ちのようである。

中には、自宅から会社までの国電の駅のトイレの位置を全部たしかめてある、という用心深い人もいた。駅にさえつけばどこでもすぐ簡単にトイレに走れる、と思っていたら大まちがいの駅も少くないそうである。

私も、思い出すと、こういう事態はこれがはじめてではない。

いったい私は、風景のいい場所へゆくと排泄《はいせつ》欲に襲われる習性があるようだ。汚瀆《おとく》症の傾向があるのかも知れない。中でも忘れられないのは、松本の美ヶ原《うつくしがはら》で、ちょうど秋の終りで、いちめん樹も草も美しい氷のトゲに覆われていた。ここでこの衝動に襲われたのだが、お尻《しり》いちめんにその氷のトゲがチクチクと刺して来るのに往生したことがある。

それから、また別の失敗談がある。

昔、パリにいったとき、うっかりビデととりまちがえた。赤毛布《ゲット》で、知らなかった

わけではない。二つならんでいるもののうち、フーム、これがビデなるものか、と感心して眺めたくらいなのだが、数日後、何か考えごとをしながらはいっていったら、ついビデのほうへ腰かけていたのである。

立ちあがって、はっと気がついて、弱った。ビデのほうは、むろん固形物は容易には流れないようになっている。……私は意を決して、両手でうやうやしくしゃくいあげて、隣りに移してこれを始末した。

「宇治拾遺物語」に、何とか大納言が、月影さす御簾《みす》の中で、美貌《びぼう》の女房を抱きしめようとして、女が「恥ずかしいわ」と、なまめかしく身をくねらせたとたんに、「いと高く鳴らしてけり」――一発、高らかに放屁《ほうひ》した、という話がある。そこで大納言は世をはかなんで、いちどは出家遁世《とんせい》を思い立ったが、再考してみると、女がおならをしたからといって自分が坊主にならなければならん理由はない、と思い直したというのだが、当然ながら、可笑しい。

現代では、まさかおならくらいでそんなことを思いつめる人間は、たとえ女性でもあるまいが、しかしほんもののほうで、ほんとうに出家したくなるような悲話がだれにもあるにちがいない……と、私は信じている。

一日一便、人類はみな糞友。

第二便

人間としての尊厳を失う漏らし

人前で漏らしたというだけで
なぜ人間としての尊厳まで失ってしまうのか……

大勢の前で漏らす

［感染症小説］

コレラ

筒井康隆

〝「あ、あ、あああ、あ」
人間が、
この世で最も貴重だと思っているものを
失う瞬間に
思わず知らず口腔から洩《も》らす
あの悲痛な嘆声と吐息を、
彼女もまた洩らした。〟

漏らしても、誰にも気づかれなければ、まだいい。
気づかれても、それがひとりとかふたりとかで、やさしい人たちだったら、まだいい。
大勢の人前で、あるいは大事な人の前で、漏らしてしまうのが、いちばんきつい。
しかも、大量に漏らしてしまったら……。
そのときの、いたたまれない気持ちが、なんとも見事に表現してあります。
漏らすことと、「人間としての尊厳」……。

筒井康隆（つつい・やすたか）
1934－　小説家、劇作家、俳優。大阪市生まれ。小松左京、星新一と並んで「SF御三家」とも称される。前衛的で実験的な作風で、娯楽作から純文学まで幅広い。『虚人たち』で泉鏡花文学賞、『夢の木坂分岐点』で谷崎潤一郎賞、『ヨッパ谷への降下』で川端康成文学賞、『朝のガスパール』で日本SF大賞、『わたしのグランパ』で読売文学賞を受賞。他にもパゾリーニ賞、紫綬褒章、菊池寛賞、毎日芸術賞、日本芸術院賞・恩賜賞など受賞多数。

この記録の筆者、つまり私は、この記録を発表することに、いささかのためらいを感じるものである。

なぜならこの記録の内容が、現代フランス文学の最高峰といわれているアルベエル・カミュの名作「ペスト」に酷似しているからなのである。

どういう点かというと、つまりそれは、伝染病がある都市に拡がったため、その都市が封鎖されたという経過——記録の主題をなす事件の経過が似ているのだ。

しかしその一方では大きく異っている点もある。それは、事件の中心であるところの、それぞれの病気の性質と、読者がそれぞれの病気に対して持たれるであろう感じ方の違いである。片や「ペスト」という、高級で、大時代で、事実病気としては古典的であって、しかも優雅な病気、片や「コレラ」という、低級で、いささか猥褻《わいせつ》感があり、聞く者に下卑《げび》た印象をあたえる病名の病気である。

もっとも筆者は、病気に高級低級の区別をつけることが妥当かどうかは知らない。「優雅な病気」など、あり得る筈《はず》がないとも思うし、コレラが猥褻だとすればコレラで死んだ東京都内の三百万の都民は猥褻《わいせつ》な死にかたをしたということになり、死者に対してはなはだ失礼なことになってしまう。だから、これはただ、読者がその病名から受けられるであろう「感じ」を、想像して書いたまでなのである。

とにかく筆者の想像した「読者の受ける感じ」がそれほど異っている以上、たとえ事件の経過が類似していようと、やはり別個に記録さるべき価値はあると思う次第である。しかもこれは、実際に起った事件なのである。実際の事件を事実通りに記録して悪いわけはないのであって、だから筆者は、この記録を発表して悪い筈《はず》はないと考えた次第である。

さて、筆者、つまりこの私は、一九七×年に東京都内で起った、この「コレラ騒動」を最も記録しやすい立場にいた人間である。まず筆者のことから話そう。

カミュの「ペスト」を読むと、筆者の名前は最後まで伏せてある。ただ冒頭に「この記録の筆者は事件を最も採録しやすい情況にいた人間である」という意味のただし書きがしてあるだけである。だからきっと、アッと驚く突拍子もない人物であろうと期待して最後まで読んでいくと、結局なんのことはない、作中にのべつ出てきていた主人公の医者であった。なんのためにカミュともあろう作家がこんな無意味な技巧をこらしたのかわからない。

私が思うにこのカミュはきっと、どんでん返しとか、オチとか、あっと驚く結末をつけ加える術《すべ》を心得ぬ、つまり小説作法のABCも知らぬ小説家であったにちがいない。早くいえば、たいした作家ではないと思う。どうしてこんな作家が現代フランスで最高の作家なのか、私には今もって、さっぱりわからないのである。

そういうわけだから、私の方は無意味な技巧など抜きにして、はっきりと自分のことを冒頭で述べておこう。私は下野緋五郎という名の、二十九歳になる独身男性である。職業は医者ではない。単なるサラリーマンだ。光和商事という小さな会社の東京本社に勤めている営業マンである。

なぜ、一介のサラリーマンに過ぎない私がこの事件の記録者として最適なのかといえば、それは東京都内におけるこの事件の、いわば発端《ほったん》と思われる数件の出来ごとが、すべて私の周囲で起ったからなのである。問題が大きくなってからのことは、コレラ関係のニュースが連日新聞やテレビを賑《にぎ》わしていたことでもあり、読者諸兄の方がよくご存じだろう。私は、私以外の誰も知らぬ、しかも最も重要な事実をここに記したいのである。

とにかく、発端の事件から記そう。

カミュの「ペスト」では、主人公の医師がある朝階段口で、一匹の死んだ鼠《ねずみ》につまずくというのが発端《ほったん》になっている。これに比べればこちらの方がずっとはなばなしく、かつ色彩に富み、しかもドラマチックである。とにかくこちらの方は事実、「ペスト」の方は創作なのだ。この点ひとつをとりあげても、カミュという作家が、事実にさえ劣る程度の想像力しか持ちあわせていない二流作家であることが、はっきりわかるではないか。

発端の事件は有楽町にある喫茶店「ピーター」で起った。時間は午後十一時三十分、私は同じ会社の事務員大木勉子と向きあってお茶を飲んでいた。

勉子はどことなく嵯峨《さが》人形に似た顔立ちの日本的な美人である。しかし服装は日本的ではなく、退勤後に着替えた白いミニに、小粋《こいき》なチェーン・ベルトをぶら下げていた。

コーヒーを飲み終り、私がそろそろ帰ろうかなと思いはじめた頃から、彼女の顔色が次第に悪くなってきた。

「どうしたの」と、私は訊《たず》ねた。

彼女はもじもじと身動きした。「少し、具合が悪いみたいなの」蚊の鳴くような声で答えた。泣き顔をしていた。

「じゃ、そろそろ出ようか。君のアパートまで送っていくよ」

「ちょっと待って」立ちあがりかけた私にあわてて掌《てのひら》をつき出しながら、彼女はあたりを見まわした。「わたし、トイレへ行ってくるわ」

ふたたび椅子に腰を落ちつけた時、私はかすかな雷鳴の如き轟《とどろ》き、あのごろごろという聞き憶《おぼ》えのあるもの音をかすかに聞いた。

はははあ、腹具合が悪いんだな、と、私は判断した。その時はもちろん、彼女がコレラに感染したなどとは夢にも思っていなかったのである。

しかし彼女はもじもじするばかりで、なかなか便所へ立とうとはしなかった。あきらかに、立ちあがることを恐れていた。それはまるで、立ちあがることによって彼女の人間としての尊厳、淑女《しゅくじょ》としての品位、美しい令嬢としての矜持《きょうじ》を大きく傷つけるような出来事が起るに違いないと信じていたかのようであった。そして事実はその通りだったのである。

だが、その時はまだ何も知らなかった私は彼女のやる瀬《せ》ない苦悩をよそに、店の奥を指して冷酷にこういい放ったのだ。「じゃあ、早く行っといでよ。トイレはあっちだ」

「え、ええ」彼女はおどおどしながらうなずいた。

一瞬、思いつめたような表情をし、やがて彼女は背を丸くして、おそるおそる椅子から立ちあがった。彼女の恰好《かっこう》よくくびれた胴体の下部に聞こえる雷鳴が、その時ひときわ高く響いたようでもあった。

背を丸めたまま彼女は、便所の方へ数歩小走りに駈けた。

ミニを着ているくせに、なぜあんな走り方をするのかな——私は、ちらとそう思った。彼女がパンティを穿《は》いていないことを知っていたので、不思議に思ったのである。普通、ミニの女の子がパンティを穿いていない時には、前屈《まえかが》みの姿勢は避ける筈なのである。

さて、読者はここで当然の疑問を持たれるであろう。なぜ彼女がパンティを穿いていないのか、そしてそのことを、なぜ私が知っているのかという疑問を。

だが、そのことはあとで述べよう。なぜなら今は、急を要する時だからである。彼女が一刻も早く便所へたどりつこうと、けんめいに、横紋筋《おうもんきん》で作られた外肛門括約筋《こうもんかつやくきん》でもって直腸下端の淡いピンク色をした肛門輪を締め続けながら走っている時だからである。

しかしその努力は所詮《しょせん》無駄であった。

テーブルからほんの数歩のところで、彼女は絶望の表情をあからさまにして眼の光を落し、力なくかぶりを振りながら立ち止ってしまったのである。

「あ、あ、あああ、あ」

人間が、この世で最も貴重だと思っているものを失う瞬間に思わず知らず口腔《こうこう》から洩《も》らすあの悲痛な嘆声と吐息を、彼女もまた洩らした。だがその嘆声は、なかばにして、さらに大きく甲高い、インモラルな迫力を伴った一種の金属的な音響でもって、かき消されてしまったのである。

「SPPPPSSPSPSPPPPP!」

突如として喫茶店の床の白いリノリュームの上に、勉子の白い靴を中心とした半径約六〇センチに及ぶ淡い黄褐色の半円形が描かれはじめ、そのエロー・オーカーの水溶性塗料はさらに勉子の白いスカートの内側から破裂音とともにとめどもなく、しかも激しい勢いでほとばしり、噴出し続けた。

この時勉子は、全身から力を抜いていたにもかかわらず依然として前屈みの姿勢であったため、この非常に水分の多い粘状便は、直腸膨大部からの無分別な圧力によって開いた彼女の肛門を起点とし、背後のみ拡がったスカートの裾《すそ》の円弧によって床へ半円錐《えんすい》状に放射され、そのため床に半円形を描くことになったのである。

コレラの際、下痢にしろ嘔吐《おうと》にしろ、吐瀉《としゃ》するのは、普通、米のとぎ汁のようなうすい液体であり、排泄《はいせつ》物も便色便臭のない水様便であるとされているが、もちろんこれはある程度病状が進行した場合のことであって、いちばん最初はやはり消化管の中にぎっしり詰まっているものが出てくるわけである。だから床にぶちまけられ叩《たた》きつけられた可愛い勉子の排泄物の中には彼女が昼食や早めの夕食の際に摂取した蕪《かぶ》、サーロイン・ステーキ、唐がらしをかけた糸こんにゃく、セロリ、人参などが細い血の糸などとともに未消化のままで混入していた。白いリノリュームを襲ったそれらカラー・ワイドの粘状便は、ある部分では小さく盛りあがり、ある部分では平らになって、一面白い湯気を立て、その周囲に大蒜《にんにく》の香のする強烈な便臭と、多量の飛沫《ひまつ》をもたらしたのであった。

私は非常に幸運であったといわねばならないだろう。第一に、私がそれら水分の多い粘状便——くだけて言えばびちびちのうんこの飛沫の射程距離外にあったということ、そして第二には、私が彼女の同伴者であることを店内にいた客の誰にも知られずにすんだということである。この事件が起った時、店内の客は、勉子と、勉子の最も近くのテーブルにいたためまともに小間物の弾道弾や飛沫を浴びた外人夫婦がOH猛烈といって立ちあがったあわてかたに気をとられ、彼女の連れが誰であるかを確認しようとはしなかったのだ。続いて勉子が彼女自身の失態を認識し、うつろなまなざしで自分のスカートの裾からいっせいにぽたぽたしたたり落ちているものをのろのろと眺めまわし、ああと呻《うめ》いて失神して自己の排泄物の中へ横ざまにぶっ倒れて、純白のミニドレスに粘状便をたっぷりと浸《し》みこませた時も、もちろん私に注意を向けた人間はひとりもいなかった。彼らはすべて勉子の周囲に駈け寄ったり、椅子から立ってのびあがり、勉子の様子を見ようとしたりしていたのである。

彼女の同伴者であることを知られるのが怖《こわ》かった私の気持は、賢明な読者諸兄ならすでに推察してくださっているであろう。人並み以上にスタイリストで、若く美貌《びぼう》の独身男性にとって、公衆の面前で恥をかくことがどれだけ恐ろしいかということを。私にはもちろん、自分がこのウンコ娘の連れであると名乗って出るだけの勇気はなかったし、それ以外にも、同伴者であることを誰にも悟られたくない理由があったのだ。騒ぎにまぎれて席を立ち、私はそっと店を出た。動顚《どうてん》していたため、コーヒー代を払わなかったことに気がついたのは国電の駅まで逃げてきてからだった。もっともこれは、レジの女の子がいなかったからいけないのである。きっと彼女も騒ぎを見るため、レジを離れて店の奥へ行っていたのだろう。断言してもいいが私は無銭飲食をしたのではない。もしあの店がどうしてもコーヒー代をとろうと思うなら勉子からとればいいのだ。

私はそのまま自分のアパートに戻り、布団を敷いて寝てしまった。

不意の下痢に襲われた勉子は、あれからどうしただろう——と、私は布団の中で考えた。なあに、心配することはないさ、タクシーさえ呼んでもらえれば、それに乗ってひとりでアパートまで帰れた筈《はず》なのだから――。

明日、会社で勉子に顔を合わせることを思い、私はほんのちょっと憂鬱《ゆううつ》になった。おそらく彼女は、尻尾《しっぽ》を巻いて逃げ出した私のことを薄情な男だと思っているに違いない――そう思ったからである。しかし、面と向かって咎《とが》めるようなことはしない筈だ。彼女が私が知っている通りの勉子であるなら、恥かしさのあまり私の顔をまともに見ることさえできない筈だった。だからむしろ私があの店から姿を消したことを、逆に感謝しているかもしれなかった。

また、私が一緒だったことが彼女の口から洩《も》れる筈もなかった。そんな深夜に、私と勉子が喫茶店にいたことを誰にも知られてならない理由は、勉子の方にもあったのだから。

実をいうと私と勉子は、それまで新橋のつれこみ旅館にいたのである。お互いに結婚する気のない情事だから、特に会社のおしゃべりな同僚や女事務員には知られてはならなかった。それはもう半年も続いていて、まだ誰にも知られていなかったのだ。

読者諸兄にこんなことをお話しするのは釈迦《しゃか》に説法かも知れないが、結婚する気のない者同士の情事というのはだいたいにおいて露骨で大胆で、時には変態性の域にさえ近づく。私たちもそうだった。本気で愛しあってもいないのに半年も長続きしたということは、互いの変態ぶりに肉体的執着があったからである。その夜も、会社が終るなりしめしあわせて旅館へ駈けつけ、旅館からとった飯で腹ごしらえしながら、規定のご休憩時間いっぱいを、ただれきった変態性欲の海で溺《おぼ》れたのである。私は大木勉子の、周囲の皮膚がメラニン色素で黒ずんでいる前後の方向に延びた裂け目、つまり肛門を舐《な》めまわした。勉子もまた、私の直腸静脈叢《そう》を舌先で舐めた。彼女のパンティが汚れたため部屋の隅の屑籠《くずかご》へ捨てたのは実にこの時のことだったのである。私たちは情欲を満足させては飯を食い、食っている最中にまた催淫《さいいん》して激しくぶつかりあっては、ベッドに倒れて互いの肛門を求めあったのである。

読者はふたたび疑問をお持ちになるであろうか。それほど互いの恥部を熟知している間柄でありながら、なぜ明日会社で勉子がお前に対しはずかしがるなどと思うのか、という疑問を。

ごもっともではあるが、それは勉子をご存じないからだ。たしかに二人きりの時、私に対して彼女は大胆になる。だが、いったん町へ出た時の勉子は、とてもそのようなことのできる娘には見えないほどしとやかで愛くるしく、純真で無邪気な娘になってしまうのである。つまり町なかにいる彼女にとって、それがたとえ私に対してであろうと、つれこみ旅館の中にいた彼女は彼女ではないのだ。この辺のところが、読者にはおわかりいただけるであろうか。

おわかり願えるような詳しい心理描写のできる腕を、私はもっている。例えばあのフランスの三流作家は彼の作品「ペスト」において、登場人物の精密な心理描写を行ってはいる。しかしそれは主題である「ペスト騒動」に何の関係もないことだ。私はあのような無意味な描写はいっさい省くつもりであるからその点ご了承願いたい。

さて、あらゆる場面を考えてやっと安心した私は、明日の勤めにそなえ、ぐっすり眠ろうとした。だが、なかなか眠れなかった。何かが心に引っかかっていたのである。それが何であったかは、次の日、会社に出勤してはじめてわかった。

「おい、下野。聞いたか」机を並べている同僚が、私に声をかけてきた。「庶務の大木君な。彼女コレラにかかって、今朝病院で死んだそうだぜ」

「ええっ。勉子が」

本気で愛してはいなかったものの、長い間肉体交渉があり、しかも昨夜まで一緒だった女が死んだと聞かされるのは、やはり大変なショックである。おそらく一瞬、私の顔色は変ったであろう。だが幸いにも同僚はそれに気がつかぬ様子で喋《しゃべ》り続けた。

「昨夜、有楽町の喫茶店で、だしぬけにひどい下痢をやって失神したそうだ。それで店員が、あわてて病院へかつぎこんだそうだ。そしてコレラとわかって、いやもう大変な騒ぎだ。大木君はひと晩中、はげしい下痢と嘔吐《おうと》で苦しんで、今朝がた死んだ。喫茶店の方は今日封鎖されて、店員もみんな隔離されてしまったよ。それから警察じゃ、その時店内にいた客全員を捜《さが》しているらしい」

「捜してどうする気だろう」私は身を顫《ふる》わせながら訊《たず》ねた。

「当然、隔離《かくり》するつもりだろうな」

隔離されては大変である。私は自由人であるから、そのような事態を最も忌《い》み嫌う。そのような事態は、私の全存在を賭《と》してでも避けなければならない。

私は、さらに訊ねた。「警察は、この会社へも来るだろうか」

「大木君が発病したのは、退社後六時間ののちだ。また、今のところこの会社で患者は発生していない。調べにはくるだろうが、会社が封鎖されるというような事態にはならないと思うね」同僚は割合楽天的な口調でそう答えた。「ま、検疫次第だが」

だが私は、とても楽天的ではいられなかった。大木勉子が発病するまでの数時間、最も彼女の身近にいたのはこの私なのである。ということは、他ならぬ私自身、彼女からコレラ菌を感染《うつ》されている確率の最も高い人間ということになるのだ。いや、私と彼女が、あのつれこみ旅館で演じた行為を思い返せば、感染されていない筈《はず》がないのである。

コレラ菌の潜伏期は、普通数時間から一、二日である。大木勉子と行動を共にしはじめてからすでに十数時間経つが、私はまだ発病していない。発病するのは時間の問題だろう。どうしたものかと私は考えた。

彼女から感染されたおそれがありますので早く検疫してくださいと病院へ駈《か》けこんだりしようものなら、なぜそう思うのかとしつこく訊《たず》ねられ、私と彼女の秘密がばれてしまうかもしれない。だいいち私は病院が嫌いだ。入院なんていったって、コレラの場合は実際上隔離《かくり》と同じことであって、いかに保菌者であろうと、私は自由人であるからそのような事態は避けなければならない。会社へ検疫班がやってくるとしたら、保菌者であることがばれてしまうから、それも避けなければならない。公衆の迷惑など、知ったことではないのだ。自分のからだのためにも、検疫を免れることが悪い結果を招くかもしれない。それでもいいのだ。自由人だ。それに、コレラ保菌者の中には発病しない体質の人間だっていると聞く。私がそれかもしれないのだ。

そうだ、と、私は思った。私が免疫体質である可能性は大いにあるぞ。コレラ菌は患者や保菌者の糞便《ふんべん》中にいる。私は、あんなにひどい下痢症状を起した可愛い勉子の糞便を直接舐《な》めた。それから十時間以上経過しているにかかわらず、なんともならないのだ。いつもより気分がいいくらいだ。歌を歌いたいぐらいだ。とんだりはねたりしたいくらい陽気だ。とても発病するとは思えない。そうだ。私は発病しない体質なのだ。そうに決っているのだ。他の誰が発病しようと、私だけは……。

そこまで考え、私はまた新しい可能性に思いあたった。

もしかすると、大木勉子にコレラ菌を感染《うつ》したのは、この私自身かもしれないぞ。そうだ。その可能性は大いにある。なぜなら、大木勉子が私以外の人間から感染される機会はほとんどなかったといっていいくらいなのだから。

私と旅館へ行くまで、彼女は会社にいた。会社の誰かから感染されたとすれば、その誰かは、もっと早くに発病していなければならない筈だし、その誰かが免疫体質だったとしても、他の社員に感染している様子もない。現在、光和商事の社員は勉子を除いて全員元気なのだから。そして会社を退《ひ》いてからの勉子は、ずっと私と一緒だったのだ。旅館の一室で、ベッドの上で、わが愛する私自身のコレラ菌の巣窟《そうくつ》に舌を入れていたのだ。わかった。私が感染《うつ》したのだ。そうだ。そうに決った。そして私自身は、いかに消化管内にコレラ菌がうようよであろうと、絶対に発病しない免疫体質なのだ。そうとも。そうにちがいない。

論理が独断的だ——と、読者はお感じになるかもしれない。しかし事実はその通りだったのである。それはこの記録を最後までお読みいただければわかる筈《はず》である。

さて、会社の仕事も上《うわ》の空で、そこまで理論を押し進めた私は、次に、最も肝心な点に考えを向けた。

では、私にコレラ菌を感染させた人間は、いったい誰か。

一日中会社にいた庶務課の大木勉子とちがって、営業課員である私は、昨日も一日会社を出てあちこちとびまわっていた。だからいろんな人物に会って商談をしている。いかにもコレラ保菌者めいた男にも数人会っているし、その中には当世流行の男色家も三人ばかりいて、からだに触れられたりもしているし、一度などは唇さえ奪われている。

そう。特に、私の唇を昼間のホテルの誰もいないロビーの片隅でだしぬけに奪ったあの男など、現在コレラが猛烈な勢いで流行している韓国から、昨日の午前十一時に日本へやってきたばかりの実業家ではないか。考えてみれば、あの李呑瞖《りどんでん》という男など、いちばん……。

あ、あ、あいつだ。李呑瞖。

私は思わず椅子から立ちあがり、宙を睨《にら》みつけていた。何が心に引っかかっていたか、これでわかった。

そうだ。あの男以外にコレラの保菌者はいない筈だ。あの男は何しろ日本へやってきたばかりだ。昨日私が会った他の人間は、みんなそれまで日本にいた者ばかりだから、まだ患者がひとりも発生していない時点における東京都内の人間の誰からも感染《うつ》された筈《はず》はないし、したがって誰に感染した筈もない。あの李呑臀が私に菌を、唇と舌を通して感染したのだ。そうに違いない。

「おい。どうかしたのか」隣席の同僚が私に訊《たず》ねた。

私がわれにかえり、あわてて、いや何でもないとかぶりを振った時、美男子の社長秘書がやってきて私に耳打ちした。「下野さん。社長がお呼びです」

同僚が、にやりと笑った。彼は社長の趣味を知っている上、最近私が社長から可愛がられていることも知っているのである。

色白で頬だけがぽっと赤い美男子の社長秘書と尻《しり》を撫《な》であったりしてふざけながら社長室へ行くと、胡麻《ごま》塩《しお》髪をオールバックにしたチック・ヤングの「ブロンディ」に出てくるバムステッドさんそっくりの社長が椅子から立ちあがり、微笑《ほほえ》みかけた。「やあ下野君。李さんとの商談はどうだったね」

「取引は成立しました。サインもいただいてきました」

「それはよかった。ま、掛けたまえ」社長は私をソファに掛けさせ、私のからだにぴったりと身を寄せて隣りに腰をおろし、心配そうな表情で訊《たず》ねた。「ところで、どうだったね君。李さんは精力旺盛《おうせい》で、特に最近はどんでんがきたため、あの方に夢中になっているという話だが、君なにか無茶なことはされなかったかね」

「取引を成立させるためなら、私はもちろん会社の為に李さんのどんな要求にも応じるつもりでした」

社長の眉《まゆ》が嫉妬《しっと》にぴくりと動いた。

「でも、ご安心ください。私は唇を奪われただけで、貞操は奪われませんでした。李さんとお会いしたのはホテルのロビーでしたし、李さんは相当ご多忙の様子でしたから」

「そうか。それはよかった」社長はほっとした表情で私を抱き寄せた。「最近は君を狙っている者が多い。わたしゃ気が気じゃないよ」社長は私をソファに押し倒した。「昨日も光和工業の専務が君を貸してくれといってきた。もちろん、ことわったがね。光和コンツェルンの上層部がいっせいに君を狙っているんだものね」

そういいながら社長は眼鏡をはずし、重いからだを私の背中に乗せてきた。むろん、わが愛する私自身のコレラ菌の巣窟《そうくつ》を求めてのしかかってきているのである。

陰謀や裏切り行為でいっぱいの現代資本主義社会における経営者にとって、信用のできる提携会社や重役を求めるのは至難の業である。だから経営者は、男色関係でもって企業連携をはかり、愛する部下に子会社をまかせたりする。これなら鉄の如《ごと》くがっちりした結合となり、絶対的に信用できるわけである。だから現在の日本の企業でトラストやコンツェルンを強固に築きあげている大組織は、それぞれの会社の上層部が肛門《こうもん》でつながっていると思ってもまず間違いはない。産業資本型コンツェルンが形成しているピラミッドの比較的下層部にあるわが光和商事といえども例外ではなく、大光和コンツェルンと鉄の絆《きずな》でがっちりと結びついているのだ。

これで自分がコレラ保菌者かそうでないかがわかるな――社長が私の背中で声を押し殺しながらのけぞっている時、私はそう考えてにやりとした。社長が発病するかどうかを観察していればいいのである。

ズボンのベルトをしめながら社長室を出ると、例の秘書がにやりと笑っておしぼりをさし出した。嫉妬らしい表情を見せないのは、社長が留守の時、私自身も彼の欲望を満たしてやっているからである。

昼過ぎ、警察病院からものものしい恰好《かっこう》で大勢の検疫班がやってきた。もちろん、わたしは会社を抜け出した。

もし李呑臀がコレラ保菌者であれば、もうとっくに発病している筈だと思ったので、私は昨日彼と会った赤坂のホテルのフロントへ、会社の近くの喫茶店から電話をかけてみた。だが、不思議なことに、李呑嚳という韓国国籍の男は、昨日も今日もそのホテルに部屋をとってはいなかったのである。

私はまた考えこんだ。

韓国でコレラが流行している以上、空港の検疫所だって当然、韓国からやってくる人間に眼を光らせているだろう。だとすれば、李がコレラ保菌者であれば、検疫所で引っかかるに決っているのだ。いったい彼は、どうやってホテルまで来ることができたのだろう。私は不審に思い、空港の検疫所へ電話をし、続いて検疫所の病院へ電話をし、李の行動を調べてみた。

話を簡単にしてしまおう。調査の結果、驚くべきことがわかったのである。空港でコレラ保菌者が発見されると、その保菌者は病院に収容される。しかし、その病院は、あきれたことに患者の出入りが自由なのである。

税関を通らなくても日本国内へ足をふみ入れる方法は、密入国以外にもうひとつあったのだ。そんな馬鹿な、と思われるだろう。だがこれは、実際そうなのである。

私はやっと李の病室を捜《さが》しあて、彼と電話で話した。彼は私に、自分とホテルのロビーで待ちあわせたことは誰にも喋《しゃべ》るなと命じた。もし喋れば、契約は破棄するというのである。私はもちろん、誰にも喋らないと誓った。もうおわかりになっただろうが、今頃までこんな重大な事実を発表しなかった第一の理由は、李との約束のためだったのである。また私にしても、まさかそのコレラのために、三百万人もの東京都民が死ぬなどとは、夢にも思っていなかったのだ。

東京で猛威をふるい、ついには東京都が封鎖されるという大変な騒ぎにまで発展したこのコレラは、そもそもの最初、マレーシアで流行していたのである。そして六月の末、タイ、フィリピン、ラオスへやってきた。タイでは百人の患者が出て十三人死亡、フィリピンでは十九人がかかって十一人が死亡、ラオスでは三十五人が死んだ。

七月の六日、香港政庁は「九竜地区の人口密集地帯」でコレラ発生と発表し、翌七日、WHOが「香港のコレラはエルトール・コレラ菌で、東南アジアで流行したものと同じ」と発表した。この日、東南アジアだけで、コレラにかかった人間は一万一千百五十六人に達していた。九日、香港の患者は二人、十四日には十四人になった。そのため、一九六四年以来閉鎖されていた九竜地区の隔離《かくり》センターが再開された。

八月三日、コレラはついに韓国まで北上した。全羅北道、忠清南道などの西海岸で発生し、死亡者十人、患者は五十人を越えたのだが、はじめ韓国政府はこれをコレラと認定せず、腸炎ビブリオによる食中毒と発表していたのである。同じ日、WHOによって、香港はコレラ汚染地区に指定されていた。

八月末までに、エルトール・コレラ菌による患者は、印度《インド》、パキスタン、タイ、ラオス、フィリピンだけで一万三千五百七十五人になった。

九月九日、韓国の患者は四百人を越えた。韓国政府は「流行《はや》っているコレラは新型のコレラで、死亡率は五％から六％である」と発表したが、これはあやまりであることが、のちに日本側検疫陣によってわかった。このころから日本は、厚生省がコレラ厳戒態勢を全国検疫所に指示したりして、はじめて緊張した。九月十六日、ついに韓国の首都ソウルでコレラが発生した。翌十七日、ソウル市の東大門区、城北区はコレラ汚染地区と断定された。この日までに韓国全土で七百三十二人の患者、六十六人の死者が出ていた。そして翌十八日、死者は七十人になった。

九月二十日、日本の国立予防研では、韓国で流行っているコレラを、エルトール小川型コレラ菌によるものと断定した。

コレラ菌には二種類ある。印度と東パキスタンのみでしか発生しないアジア・コレラ菌と、東南アジア全体にひろがる、このエルトール・コレラ菌である。コレラは、ペストや黄熱病と同様、国際伝染病に指定されていて、死亡率は三十％から七十％である。

ソウルまで北上したコレラは、二十三日になって、今度は朝鮮半島を南下し、釜山《プサン》にやってきた。この時までに韓国全土で、八百九十三人の患者が出、八十一人が死んでいた。私が李呑臀《りどんでん》からコレラ菌を感染《うつ》されたのは、その二日後、九月二十五日のことだったのである。

検疫を嫌って一日中会社から外出していた私は、夕方戻ってきて社長室へ行ってみた。社長はいなくて、例の美男秘書がいるだけだった。

私は彼に訊《たず》ねてみた。「検疫の結果は、どうだったの」

社長からコレラ菌が検出されたかどうかが知りたかったのである。

だが、秘書は、かぶりを振った。「検疫の時には、社長はいませんでした。光和工業へ行かれていましてね。会議があったんですよ。私もお供しましたので、私も検疫を受けていません。でも、他の社員は全員受けました。全員、きれいなからだだったそうです」

「なるほど。それはよかった。で、社長は今どこにいる」

「今日は二十六日ですから、六の日会へお出かけです」

六の日会というのは毎月三回、六のつく日に光和コンツェルンの上層部ばかりが集って催すパーティである。そのパーティは最後には乱交パーティとなり、社長重役入り乱れて肛門愛を満足させあうのだ。社長のコレラ菌が、だいぶばらまかれることになりそうだ、と私は思い、にやりとした。

その時、秘書用のデスクに向かって腰をおろしたまま私と話し続けていた美男秘書の顔色が急に変った。信じられないという眼つきでしばらく私の胸あたりを凝視していたが、やがてあわてて立ちあがった。勉子の時と同じだった。立ちあがる時、彼の腹の中のかみなりが大きく轟《とどろ》いた。

「あ……う……」

奇妙な叫び声を小さく洩《も》らし、彼はやや前屈《まえかが》みの姿勢のままで、社長室の中にある社長用トイレットへ駈《か》けこんだ。

社長から感染《うつ》されたな、と私は思い、耳をすませた。

秘書はトイレットのドアをばたんと閉めるなり、ズボンを脱ぐ暇があったのかなかったのか、ぴぴぴ、ぴーぴーぴー、ぴぴぴとモールス信号のSOSをたて続けに二、三回打電し終ってから、しゃーっとさわやかな夕立の音を響かせ、同時に消化管の逆の一端からはげえげえと男性的な声をはき出しはじめた。

私はゆっくり社長室を出て、事務をとっている大勢の社員に叫んだ。「誰か病院へ電話してくれ。コレラ患者がまたひとり出たぞ」

さて、それ以後のコレラの伝播《でんぱ》速度は、ちょっと信じられないほど急で、まったくあれよあれよという間だった。社長のばらまいた菌はたちまち大企業の経営者層に拡がり、経営者たちはそれぞれ妻や妾《めかけ》や銀座の高級バーのホステス、赤坂の芸者等に菌を感染《うつ》し、彼女たちは彼女たちで、上流社会の乱交パーティやレズ・パーティでさらに菌をひろめ、こうしてついには政界財界芸能界の隅ずみにまで、菌が浸透していくに至ったのである。

この異常なほどに急激な伝染のスピードは、私が考えるに、腐敗した東京の上流階級に流行することによってはじめて可能となったのではなかっただろうか。普通、コレラなどの悪疫が流行するのは都市の人口密集地帯など、いわば不潔な場所である。してみると今回のコレラで最も被害のひどかった東京の上流社会などは、それ以上に不潔で、ある意味では最も汚れた場所であったといえぬこともない。歪《ゆが》んだセックスのつながりによって、かろうじて大組織の形骸《けいがい》をとどめていたわが国資本主義体制の王国の、すでに腐敗しきっていたその内部こそ、コレラが猛威をふるうための最適の場であったのかもしれない。

さらに流行の原因を探ってみると、下層階級に流行した場合とは違い上流社会の人士や子女の際は、いくら彼らが保菌者であるとわかっていても警察や病院はその身柄を簡単に拘束することができず、特権をふりまわされては無理やり検疫することもできず、ついつい見て見ぬふりをしてしまうというだらしなさにもあったようだ。

下層社会の流行が上流階級へ浸透していく過程は常に緩慢《かんまん》だが、特に天下《あまくだ》りが幅をきかせているわが国での、上から下へと伝播していく速度は、いかにそれが悪疫コレラであろうと、いや、悪疫コレラであるが故《ゆえ》にこそ、例外ではなかったのだろう。たちまちのうちにコレラは東京中を席巻《せっけん》することになった。

日ならずして不意の発病に倒れる都民の姿は都内のいたるところ――電車の中、デパート、公園、公衆便所、喫茶店、酒場、ステーション、街頭など、あらゆる場所でのべつ見られるようになった。患者たちは老若男女を問わずだしぬけに嘔吐《おうと》し、糞便《ふんべん》を垂れ流し、救急車に乗せられて病院に運ばれ、脱水症状を起し、そしてその中の約三分の一が死んでいった。テレビはここを先途《せんど》とコレラの恐ろしさを叫び、新聞はコレラ欄を設けて患者数や死亡者数を報道し、雑誌週刊誌は発生源である上流社会の腐敗を告発した。

病院がたちまち患者であふれたため、癌研をはじめ国立大学や一部の閑《ひま》な役所の建物までが、病棟や患者の家族の隔離収容所にあてられた。さらにスルフォンアミド剤や抗生物質の不足で患者の数は激増し、死亡率は五十%になった。政府はここに至ってついに東京都の封鎖にふみきり、交通は遮断され、国道には自衛隊員が配置されて密出入都を監視した。

この後の悲喜劇は、都内の人はもちろん、テレビのニュースや、先達て封鎖が解除された後にどっと日本全国へあふれ出たさまざまな出版物によってほとんどの人がよくご存じであろう。封鎖のため、近県から都内へ通勤していた大勢の人間は足どめを食い、妻子に会えぬまま死んでいった哀れなサラリーマンも数十万人をかぞえ、旅行中だった者は都内に入れぬまま家族と生き別れになり、その中には死に別れた者もいた。

このため都内の商工業や交通網が半身不随状態になったのはもちろん、日本全国が多かれ少なかれそのとばっちりを受けねばならなかったのである。

この異常事態と直面した都民の反応は、年齢職種に応じてさまざまだった。だが共通していた点は、自分のからだを含めた人間の肉体に対する信頼と美的感覚の喪失であった。

賢明な読者諸兄はすでに、この記録の文章の端ばしから、筆者、つまりこの私が、いささか無責任で、やや頽廃《たいはい》的な考え方をする人間であることを感じとっていられたことであろう。まことにその通りである。そんな私であるから、人間の肉体に対してもともと信頼感などは抱いていなかったし、それが美しいものであるとも思っていなかった。だから、美男美女が公衆の面前で排泄物《はいせつ》をぶちまけ総天然色のげろげろを吐き出し街を汚物で染め悪臭をふりまくこの事態にも、さほど驚きはしなかったのである。

しかし、この昭和元禄の泰平に馴《な》れた常識人にとって、人間のからだというものが、たった一本の消化管——汚物がいっぱい詰めこまれた一本の空洞に左右される程度の存在でしかないということを否応なしに認識しなければならないということがいかに驚くべきことであったか、これは容易に想像できるのである。消化管が、人間の胴体を上から下へと貫いている唯一の空洞である以上、人間はその空洞をとりまいている肉塊《にくかい》でしかない。逆にいえば人間の中心部は単なる空洞なのであって、周囲から肉をとり去っていって最後に残る人間の本質こそがこの空洞——つまり、何もない空間なのだ。ドーナツやレンコンと同様、人間もまた中央部の穴の存在によってしか存在を許されない存在であった。だからこそコレラが猖獗《しょうけつ》を極めているその期間、都民はすべて、患者も、まだ患者でない者も、ひとしく自分の体内の空洞のことを思い続けないではいられなかったのである。そして患者たちは、その穴の両端から汚物とともに体内の水分を絶え間なく吐き続けることによって、まさに人間でなくなろうとしていたのである。

人間の肉体に対する不信感は、やがて人間そのものへの不信感へと高まっていった。これは当然のことだったといえる。たとえば例のフランスの三文文士がテーマにとりあげたペストなどという病気は、鼠《ねずみ》の媒介《ばいかい》によって伝播《でんぱ》されるのだが、このコレラというやつは人間以外に宿主はないわけで、だから伝染には人間同士の接触がある程度必要だ。つまりペストからは得られぬ人間的ドラマの展開というものがつけ加わる。人間同士の接触で最も多く激しいのは、いわずと知れた性行為であって、この性行為は人間同士の信頼をもとにして成立する。だが、その性行為によって相手からコレラを感染《うつ》された場合、相手への信頼はたちまち崩壊してしまうのである。ペスト以上の悲劇性、喜劇性は実はこの点にあった。かくして大東京は精神的荒野となり、今や世代の断絶とか愛の不毛とかいった甘ったれたなまぬるいものではない、そこには孤立した個人の存在しか許されなくなってしまったのである。

コレラ発生後、約三ヵ月ののち、患者が数人にまで減ったため東京都の封鎖は解除された。だがその時にはすでに三百万人の都民の生命が失われていた。三百万人の中には、あの美男秘書も含まれていたし、私の会社のバムステッド社長はじめ光和コンツェルン上層部のほとんどが含まれていた。光和コンツェルンは崩壊し、私は失業することになった。経営者陣がいっせいにいなくなったため、ぶっ潰《つぶ》れた企業は他にもかぞえきれないぐらいたくさんあった。

すべては、あの李呑臀《りどんでん》という韓国人と私のせいである。だから私は失業しても文句はいえない。また、誰に文句をいうつもりもない。人生とは、こういうものである。光和商事がなくなったのだから李呑臀との約束を守っていてもしかたがないと思い、私はこの記録を書くことにしたのである。そしてその記録は、これで終りだ。

読者諸兄はこの記録を、あのフランスの作家の小説「ペスト」と読み比べられ、どちらに軍配をあげられるだろう。私は自信をもって、この「コレラ」の方が面白いといい切ることができる。なにしろこちらは、人間のドラマを必要とする病気である。その上、より悲劇的であり、より喜劇的でもある。哲学さえつけ加わっているし、しかも、よりカラフルであり、さらに音響効果も満点で……。

漏らさせられる

[フランス文学・評伝]

ルイ十一世の陽気ないたずら（抄）

（『おかしな小話』より）

バルザック

[品川亮 新訳]

〝あの人たちがやってくると、
二つのトイレはいつまでも
ふさがっているというわけです。
目的を果たせず、身をよじって苦しむ彼らの姿を
たっぷりお楽しみください〟

『谷間の百合』などで有名なフランスの文豪バルザックも、じつはこんな作品を書いています。

人前で漏らしてしまうのは、人としての尊厳を失うような大変な出来事なのに、わざと人前で漏らすように仕向けられたとしたら！

また、漏らしそうになっているとき、「なんとかトイレに間に合った！」と思ったら、中に人が入っているというのは、なんともつらいことです。経験のある人も多いでしょう。

オノレ・ド・バルザック

1799－1850　フランスの小説家。父親より30歳以上年下だった母親から愛されず、生後すぐ里子に出される。作家を志し、戯曲や小説を次々と書くが、駄作と酷評される。22歳年上の女性の愛人となり、事業にも手を出すが破産し、生涯、借金取りに追われることに。30歳のとき、ついに小説が認められる。社交界デビューし、年上の貴族婦人と遍歴を重ねる。初めての年下の相手、ハンスカ夫人と結婚した数カ月後に51歳で死亡。借金は夫人が清算。

［お読みいただく前に］

これからお読みいただくのは、バルザックの『おかしな小話』の中の一編『ルイ十一世の陽気ないたずら』のそのまた一部分です。前後をカットしているため、状況がわかりにくいので、少しご説明させてください。

ルイ十一世は、十五世紀のフランスの王様です。まず冒頭で、ルイ十一世の人物像が語られています。いたずら好きで、酒池肉林が好きで、その人柄を陰険と評する人もいるけれど、実際には愉快で茶目っ気のある人なのだ、とのことです。

そして、ルイ十一世のエピソードがいくつか紹介されるのですが、その中のひとつが、ここでお読みいただくものです。

最初に出てくるニコル・ボーペルテュイという女性は、ルイ十一世の愛妾《あいしょう》です。人妻だったのですが、ルイ十一世は夫をローマ法王庁につかわして、その留守に、妻のほうを別宅に囲ってしまったのです。彼女は、いつも歌ったり笑ったり陽気で、人の気持ちを暗くしたことがなかったそうです。

あるとき、ラ・バリュー枢機卿《すうききよう》と理髪師のオリヴィエ・ル・ダンという二人の男性が、次々とニコル・ボーペルテュイに言い寄ってきます。どうも様子がおかしいので、これはルイ十一世が自分を試すために仕組んだことだと、ニコル・ボーペルテュイは気づきます。でも、王様に仕返しするわけにはいかないので、手先となった二人をひどい目に遭《あ》わせようと考えます。

それで、ラ・バリュー枢機卿と理髪師のオリヴィエ・ル・ダンの二人が王様の晩餐《ばんさん》にやってきたとき、ひとりの貴婦人に協力してもらって、こんな一計を案じたのです。

それでは、お読みください。

王様を控えの間に導き入れたニコル・ボーペルテュイ夫人は、「どんどん杯《さかずき》を空けさせ、腹一杯になるまで食べさせてください」と話しました。「陽気な冗談を繰《く》りだし大いに笑わせるのです。でも、テーブルクロスが取り外される段になったら、些細《ささい》なことでつっかかり、言葉尻をとらえて震《ふる》え上がらせてください。あの者たちがきりきり舞いする様子は、きっと良いご座興《ざきょう》になることでしょう。ただ、ひとつだけご注意いただきたいのは、あの貴婦人にはやさしく接していただきたいということです。というのも、あの人も今宵《こよい》のいたずらに一役買ってくれているからです。みせかけだけでなく、女性としてほんとうにお気に召したようなそぶりを見せてくださいますようお願いします」

「さあ、諸君」と部屋に戻った王様は言いました。「食卓につこうじゃないか。今日は一日、狩りをして獲物も上々だったからな」

理髪師のオリヴィエ・ル・ダン、ラ・バリュー枢機卿《すうききょう》、太った司教、スコットランド親衛隊の隊長、それから高等法院から派遣されてきた王様お気に入りの評定官といった人々が、顎《あご》の骨をたっぷりと駆使《くし》すべく、二人の貴婦人にしたがって晩餐の間《ま》に入ってきました。

こうして客人たちは、身に着けている胴衣《どうい》を内側からぱんぱんにふくらませていったというわけです。つまり、舗石《しきいし》よろしく食べものを胃袋に敷《し》きつめ、体内の自然な化学反応を引き起こし、臓腑に多種多様な料理を研究させて楽しませ、自らの歯で墓穴を掘り、〝カインの剣〟*を振り回し、さまざまなソースを腹の中に埋葬し、寝取られ男である自分の身に滋養をつけるということ。より哲学的に言うならば、歯で糞《くそ》を作り出すことを意味します。これだけ言葉を尽《つ》くせば、ご理解いただけたでしょうか。

この最高に豪華な食事を客人たちの腹の中に収《おさ》めるためには、王様も労を惜しみません。グリーンピースをどんどん詰め込ませてから煮込み料理に戻り、プラムの味を誉《ほ》めたたえながら魚料理についての意見を述べ、「どうした、食が進んでおらんじゃないか」と一人に尋ねたかと思えば、もう一人には「マダムに乾杯だ」と声をかけます。それから同席の者たち全員に向きなおると、

「さあ、ロブスターを味わうんだ。酒瓶を空けるぞ！　諸君らはこの腸詰め《アンドゥイユ》の味を知らんだろう！　ヤツメウナギの味はどうだ！　このすばらしさがわからんのか？　なんということだ、こいつはロワール川で採れた最高の鯉《こい》だ。ささ、このパテにガブリといくがいい。おれの狩った獲物の肉だ。これを食わぬと言うのは、おれを馬鹿にするも同然だぞ！」と続けます。「さあさあ、飲め飲め。王の面前だからとの遠慮は無用！

ジャムの味はどうだ。マダムのお手製だぞ。おれの畑で採れた葡萄《ぶどう》も忘れるなよ。おっと、西洋花梨《マルメロ》もあるぞ！」

こうして客人たちの腹を膨《ふく》れ上がらせながら、善良な王様は彼らといっしょになって笑い転げました。だれもがジョークを飛ばし、口論し、唾《つば》を吐き、鼻をかみ、まるで王様など目の前にいないかのように腹のうちをぶちまけました。やがて山ほどの料理を食い尽くし、数え切れないほどの酒瓶を空け、ありあまるほどの煮込み料理《ラグー》をたいらげた頃、客人たちの赤ら顔は最高潮に達し、胴衣ははち切れんばかりになりました。頭の先から腹の底まで、トロワ産の腸詰めよろしくぎっしりと押し込まれたのです。

サロンに戻った彼らは大汗をかきながらふうふうと荒く息をつき、がつがつと貪《むさぼ》った己《おのれ》を呪いました。王様は少し離れたところで言葉少なに座っていらっしゃいますが、客人一人ひとりはそれにも増して鎮《しず》まりかえります。腹の中いっぱいの食べものを消化するには、持てる力をすべて振り絞《しぼ》る必要があったからです。彼らの腸は、すでにしてさかんに震えたりゴロゴロ鳴ったりしはじめていました。（あのソースを口にし

＊顎骨のこと。西洋美術では、ロバの顎の骨を振りかざすカインの姿がしばしば描かれている。

たのが間違いだった）と考える者もいれば、ケーパーを使ったウナギ料理に夢中になった自分のことを叱《しか》りつける者、そして（うへえ、あのパテにやられた）と考える者もいました。一同の中でももっとも出っ腹の枢機卿《すうききょう》は、怯《おび》えた馬のようにぶるんぶるんと鼻を鳴らしています。最初に強烈な音をたててゲップを放ったのも、枢機卿でした。そしてすぐに、ここが、ゲップをするとよろこばれるというドイツだったらよかったのにと身をすくめて考えました。というのも、眉を寄せた王様がじとりと枢機卿をにらみつけて、こうおっしゃったからです。

「おい、どういうつもりだ。おれはおまえのところの見習い坊主か？」

これを聞いた一同は震えあがりました。いつもならば、胃の中から放たれる立派なゲップをたいそうよろこばれる王様だったからです。客人たちは一人残らず、すでに膵液《すいえき》と混じり合ってどろどろになった食べものの中で暴れまわっている気体を、どうにか別の方法で処理しようと心に決めました。そこでまずは、しばらく腸間膜《ちょうかんまく》の襞《ひだ》のあいだに留《とど》めようと力を尽《つ》くします。やがて客人たちが税金をむしり取る役人のようにぶくぶく膨《ふく》れ上がると、ボーペルテュイ夫人は王様を脇《わき》に呼び寄せました。

「陛下、実は飾り職人のペカールに、大きな人形を二体作らせてあるのです。あの貴婦人とわたしの二人に、そっくりに似せてあります。そろそろ、グラスに入れた下《くだ》り薬が効きはじめる頃合いです。みんな揃《そろ》って、辛抱《しんぼう》たまらず、トイレを目指すでしょう。そこでわたしたち二人は、今からそこに向かうふりをします。あの人たちがやってくると、二つのトイレはいつまでもふさがっているというわけです。目的を果たせず、身をよじって苦しむ彼らの姿をたっぷりお楽しみください」

そう言い残すと、ボーペルテュイ夫人は女性の習わしにしたがい、貴婦人を伴《ともな》って〝糸車を回し〟に行きました（この言葉の由来については、別の場所でお話ししましょう）。やがてそれらしい間を置いてから、夫人は一人で戻ってきました。〝自然の錬金術を実験する部屋〟に、貴婦人一人を残してきたと思わせたわけです。

すると王様は枢機卿《すうききょう》を呼びつけて、祭服の飾《かざ》り房《ふさ》をしっかりとつかみながら、しかつめらしく仕事の話をはじめました。その場から解放され、この部屋を抜けだしたい一心のラ・バリュー枢機卿は、すべての言葉に「仰《おお》せのとおりです、陛下」と返答しました。枢機卿の内側では、前の地下室には一杯《いっぱい》に水が溢《あふ》れかえり、後ろの地下室のほうの鍵は今にもはじけ飛びそうな状態だったのです。

すべての客人たちが、どうすればじりじりと進行していくうんこの動きを止められるのかと途方《とほう》に暮れていました。なにしろうんことというものは、小便にも増して、あっという間にがまんできないほどの水準にまで圧力が高まるのが自然の摂理なのですから。変幻自在にかたちを変えながら突き進み、するすると下方を目指すそのありさまは、繭《まゆ》から飛び出ようとする無数の虫たちを思わせました。怒りに猛《たけ》り、のたうちまわるうんこには、王様の存在も意味を持ちません。呪われたこいつらほど無知で不遜《ふそん》な存在もないのです。囚《とら》われている者たちの例に漏れず、とにかく要求が多くしつこいときています。しかも、隙《すき》を見せればぬるぬると身をくねらせ、ウナギのように網《あみ》の目をくぐり抜けようとするものですから、客人たちはそれぞれに力と知恵を振り絞《しぼ》りながら、王様の眼の前で醜態《しゅうたい》をさらすまいと必死に努力しました。

王様は、そういう状態にある連中に根掘り葉掘り質問を浴びせては、大いに楽しまれました。くねくねと身をよじるように変化する彼らの苦悶《くもん》の表情を、とりわけ愉快《ゆかい》そうに眺《なが》められたのです。

評定官は、理髪師のオリヴィエにこうささやきました。

「ほんの数分でも畑にしゃがみこめるのなら、官職など放り出すのだが」

「いかにも。すっきりとした脱糞にまさるよろこびはありませんな。いつでもどこでも糞を撒《ま》き散らす蠅《はえ》の気持ちもわかるというものです」理髪師はそう答えました。

例の貴婦人はそろそろ〝会計院での用事〟が済《す》んだにちがいない。そう考えた枢機《すうき》卿《きょう》は、飾《かざ》り房《ふさ》を王様の手の中に残したまま、まるで祈りの言葉を忘れてでもいたかのように、ぴょんと飛び上がるようにして扉《とびら》に向かいました。

「枢機卿殿、どうなされたのかな？」と王様はお尋《たず》ねになります。

「いやはや、陛下、こちらのお屋敷は桁外《けたはず》れに広うございますな！」

この驚くべき言い逃れに、残された人々はあっけにとられました。脱出を果たした枢機卿は、意気揚々《いきようよう》とトイレを目指しながら〝財布〟の紐《ひも》を少しばかりゆるめにかかりました。ところが、祝福にみちた小さな戸を開いてみると、あの貴婦人が〝王座〟についてお勤めの真っ最中ではないですか。その姿は、教皇《きようこう》の位《くらい》を与えられようとしている聖職者さながらでした。そこで枢機卿は、〝熟れきった果実〟をどうにかこうにか引っこめながら、庭園へとつながる階段を下っていきました。しかし最後の一段のところで犬の吠え声を耳にし、大切な二つの〝半球体〟にかじりつかれるのではないかと猛烈な恐怖に襲われました。そういうわけで、体内の〝化学製品〟を放出することもできないまま、外の冷たい外気に晒《さら》されていたかのように全身をぶるぶると震わせながら、枢機卿は元の部屋に戻りました。

残りの客人たちはその帰還を目にし、この聖職者は今、至福のただ中にいるに違いないと考えました。きっと〝体内の容器〟を空《から》にし、臓物を重圧から解放したのだろうと思ったわけです。すばやく立ちあがった理髪師は、壁に掛けられたタペストリーを鑑賞したり、天井の梁を数えたりしているような顔で、ほかの誰よりも早く扉にたどり着きました。そうして鼻歌交じりに、あらかじめ括約筋《かつやくきん》をゆるめながら〝はばかり〟を目指したのです。

到着した理髪師は、開けるのと同じくらいすばやく戸を閉めました。延々《えんえん》とうんこを垂《た》れ続けている貴婦人に向かって、枢機卿《すうききょう》同様、謝罪の言葉を漏らすほかなかったのです。こうしてぎゅうぎゅうに詰まった腸管を抱えたまま理髪師が部屋に戻ってくると、ほかの客人たちも一人また一人と順繰りに同じ目に遭《あ》っていきました。腹の中のソースから解放されることもないまま、だれもが王様ルイ十一世のいらっしゃる部屋へと戻ってくるはめになったのです。彼らは、いっそうの苦悶に身もだえしながら、ちらちらと共感のまなざしを向け合いました。口から出てくる言葉では達し得ないほどの相互理解に、尻の穴をとおしてたどり着いたというわけです。生理作用というものはすみずみまで道理にかなっていてわかりやすいもので、けっして誤解が起こりません。なにしろそれは、だれもが生まれてくると同時に学ぶ知恵なのですから。

「思うに」と枢機卿《すうきよう》は理髪師に話しました。「あのご婦人は、明日まであやってあそこに取り憑《つ》くつもりなんだろう。よりによってあんな腹下しを招くとは、ボーペルテュイ夫人もいったいなにを考えているのか」

「私が一分で済《す》む仕事に、かれこれ一時間も粘《ねば》っているのですから。あんな女、尻を冷やして風邪でもひけばいいのです！」と理髪師はののしりました。

腹痛に苛《さいな》まれている客人たちは部屋の中を行きつ戻りつしながら、執拗《しつよう》に迫り来るものをなだめすかしていました。そこへ例の貴婦人が現れました。彼らの目に、その姿がどれほど美しく魅惑的に映ったか、想像にたやすいことでしょう。彼女の身体ならどこでも、各々《おのおの》が必死の思いで締《し》め上げているあの箇所にでも、よろこんで口づけをしたに違いありません。哀れなお腹を解放してくれるこの女性を迎えた客人たちの熱狂ときたら、かつてそれほどまでのよろこびを持って夜明けの太陽を目にしたこともないほどでした。

ラ・バリュー枢機卿《すうききよう》が立ちあがります。教会を敬《うやま》い、尊《とうと》び、仰《あお》ぎ見る気持ちから、ほかの客人たちは聖職者に席を譲《ゆず》りました。そうして、だれもがしかめ面で自分の番を待ち続けます。そのときの王様はといえば、彼らを下り腹で息も絶え絶えの状態にまで追い込む手はずを整えたボーペルテュイ夫人とともに、腹の中で笑い転げていました。

ご立派な親衛隊長は、料理人がひときわ大量の下り薬を振りかけた料理を誰よりも多く平らげていました。それで、ほんの少し屁《へ》を漏らしただけのつもりが、穿《は》いていた下着を思わずうんこまみれにしてしまったのです。恥ずかしさにちぢみ上がった隊長は、王様が臭いに気づいてはいけないと、部屋の片隅に飛んでいきました。

そのとき、すっかり狼狽《ろうばい》しきった枢機卿《すうききよう》が戻ってきました。トイレの〝司教座〟にはボーペルテュイ夫人が座っていたからです。七転八倒して苦しんでいた彼は、もはや部屋の中に彼女の姿があったかどうかも思い出せないまま部屋に帰ってきたのです。そして王様の傍《かたわ》らにいるボーペルテュイ夫人を目にすると、悪魔にでも出くわしたかのように「ああ！」と声を漏らしました。

「なにごとだ？」ひたと枢機卿を見すえながら、王様は問いただします。それは、相手に高熱を出させるような鋭い目つきでした。

「陛下」ラ・バリュー枢機卿は、作法も忘れて言い放ちます。「煉獄《れんごく》での浄化は私の専門分野です。それゆえにこそ、おそれながら申し上げます。このお屋敷には妖術使いがおりますぞ」

「ほう、この鼻くそ坊主めは、おれをからかうつもりか！」と王様は一喝《いっかつ》しました。

その声に恐怖した客人たちは、もはや前後の見境《みさかい》をなくし、身に着けているものの縫《ぬ》い目が裂けるほどのうんこをいっせいに漏らしました。

「この無礼者どもめ！」王様にそう言われた客人たちは、すっかり青ざめてしまいました。「おおい、トリスタン！＊ わが相棒よ！ こちらに上がってきてくれ！」ルイ十一世は窓を開けると、そう叫びました。

宮廷審問官のトリスタンは、すぐにやって来ました。その場に居あわせた客人たちはみな、ひとえに王様のごひいきだけにすがって今の地位にまで上りつめてきた者たちばかりです。そのお怒りにふれれば、いつなんどきでもひねりつぶされることをよく理解していました。トリスタンの姿を目にした彼らは、愕然《がくぜん》として身体を硬直《こうちょく》させます。例外は、司祭服に守られている枢機卿《すうききょう》だけでした。

「この連中を、並木道の〝法廷〟に引っ立てるがいい。食い過ぎでうんこを漏らしおった」

「わたしのいたずら、お気に召しまして？」ボーペルテュイ夫人が尋ねます。

「面白かったが、臭くてたまらんな」王様はそう答え、笑い声をあげました。

その言葉を聞いた一同は、今回は首を弄《もてあそ》ぶおつもりのないことを悟《さと》り、天に感謝しました。

ルイ十一世陛下は下卑《げび》た冗談に目のない君主ではあるものの、けっして意地悪なお

＊ルイ十一世のお気に入りの部下。

方ではない。並木道の脇《わき》にかがみこみながら、客人たちはそう口々に話しました。そしてその傍《かたわ》らに立つトリスタンは、立派なフランス人らしく最後までそれにつきあい、各人を家まで送り届けたのでした。

こうしたわけで、そのとき以来、トゥールの町の市民たちは、シャルドヌレの並木道で欠かさずうんこをするようになったのです。なにしろ、宮廷のお偉方がそうされたのですから。

第三便

隠せないにおい

漏らしたことは隠せても
隠しきれないにおい……

においが教室に充満

［自叙伝］

ヒキコモリ漂流記 完全版（抄）

山田ルイ53世

〝なんなんだ、この臭いは？
マジか？
誰やねん？
まだその「誰が」には、辿《たど》り着いていないが、
それも時間の問題だ。〟

漏らしたことを隠せたと思ったのに、においが！

うんことにおい。とても大きな問題です。

昔は汲《く》み取り式の便所で、誰もが日常的に自分以外の大小便のにおいも嗅いでいました。

しかし、今は水洗式で、自分の大小便以外のにおいを嗅ぐ機会はほとんどありません。

消臭したり、部屋にも洋服にも芳香剤を使ったり、においに気を使う世の中に。

そこに漂う、うんこのにおい……。

山田ルイ53世（やまだるい53せい）

1975－　兵庫県生まれ。地元の名門・六甲学院中学校に進学するも、２年生の夏からひきこもりになる。6年間のひきこもり生活を経て大検合格し、愛媛大学法文学部に入学。中退して上京し、芸人の道へ。1999年にひぐち君とお笑いコンビ・髭男爵を結成。執筆業でも才能を発揮し、『一発屋芸人列伝』は「編集者が選ぶ雑誌ジャーナリズム賞」作品賞を受賞。著書に『一発屋芸人の不本意な日常』『パパが貴族』『中年男ルネッサンス』など。

ポイント・オブ・ノー・リターン

それから数日後、暑い夏の日、いつもの通り、学校に向かっていた。いつもの電車で、いつもの時間に駅に着き、いつものペースで歩く。

箱に手を突っ込んで無造作に一つ選んで取り出した、何の変哲《へんてつ》もないとある一日。いつも通りの早い時間だったので、駅から学校に向かう道中、生徒には誰にも会わなかった。

遠方から通学していると、ちょっとのミスで致命的に遅れることがある。遅刻を極端に恐れていた僕は用心深くなり、常に早め早めのスケジュールで動くことを心がけていた。

そもそも早めに見積もっている起床時間を、さらに十分早くする、家を出るのをちょっと早くする、電車を一本早くする……この早めが積《つ》もり積もった結果、同級生から、「なんでいっつもそんな早く来てんの？　一人で何かしてんの？」と怪しまれるほど、当時の僕は一番乗りキャラになっていたので、登校中に、生徒に会うこともほとんどなかったのだ。

駅からしばらく続く街並みを抜け、勾配《こうばい》が増してきた坂道の途中でそれは起こった。

「あれ？　お腹が痛い……」

それまで何の違和感もなかったお腹の具合が突如悪くなった。さらに、「ポコポコッ」とか「キュールルル」とか、お腹のそこかしこで音がし始めた。

「ゴロゴロゴロ」……腹から聞こえる不穏な音。

オーケストラで、演奏前に各楽器が思い思いに、試しに音を出している時のように。このまま順調にことが進めば、そろそろコンサートが始まるに違いない。後少しで、蝶《ちょう》ネクタイの紳士が、指揮棒をサッと振り上げるはずだ。しかし、学校まではまだまだ距離があった。おそらく、あと十分はかかる。まずい。

周囲にコンビニなんてなかった。山道、といっても住宅街ではあるのだが、お金持ちの立派な家が建ち並ぶ、山の手の高級住宅街。トイレを借りられそうな雰囲気はない。何より恥ずかしかった。

そんなことを考えているうちにも、どんどん便意は高まってくる。

一度、便意と意識したが最後、その存在感は増す一方であった。

とにかく、一秒でも早く学校に、便所に辿《たど》り着かねばならない。校舎まで行けなくても、現在地から一番近い、グラウンドまで行けば、たしか便所があったはずだ。

最悪、「野で放つ」という選択肢もこの緊急事態ならあり得た。いくらモラルがないと責められようが、知ったこっちゃない。それで怒られるのは、高校生からだ。自分はまだ中学生だから全然オッケーだ。

しかし、それに適した草むらもなく、また、間の悪いことに、自分の学校の生徒こそ見かけなかったが、ちらほらと、近所の女子大のお姉さんが歩いていた。

松蔭《しょういん》女子学院大学。関西の名門お嬢様学校である。その中・高等部の真っ白なワンピースの制服は、テレビのローカルニュースで、衣替えの話題が、毎年夏の風物詩的扱いをされるほど、地域では憧《あこが》れの対象であった。

そんなお嬢様の前で野グソなどするわけにはいかない。この時点で、僕の退路は完全に断たれていた。

一瞬、駅まで引き返してトイレに行こうかとも考えたが、すぐに思いなおす。絶対途中で漏らす。漏らした状態で、駅からやって来る大勢の生徒と出くわす。最悪だ。

ここは、すでに「point of no return」(帰還不能点)だった。

今から駅まで戻る燃料はもう残されていない。もう前に進むしかない。

僕は全身の力をお尻《しり》の一点に集中させ歩き出した。結果、両足の太ももがピタっと密着し、固定され、膝下《ひざした》の可動部分だけを使って歩く様は、何かのガールズコレクションさながらの綺麗《きれい》なウォーキングのようになっていたに違いない。完全なる防御体勢。ボクシングでいえば、タイソンが得意とした鉄壁の防御、「ピーカーブー」スタイルである。

行ける。いや、行かないと駄目だ。

ぬるついた脂汗が全身ににじみ出てくる。

成績優秀、部活でもレギュラー、そこそこクラスの中心人物、そんな山田君が、「漏らす」わけにはいかない。

坂道を一歩一歩行きながら、僕はおこがましくも自分をある人物に重ね合わせていた。

カトリックの学校だったので、聖書の授業があったり、ミサなんかも行われたり、何より、六甲の先生は大体が神父様でもあったので、その辺の知識は人よりも豊富だった。

何とも畏《おそ》れ多い話ではあるが、今こそ神にすがりつかなければ。この試練を乗り越えるにはそれが必要だった。

いつもの通学路が、あの「ゴルゴタの丘」へと向かう坂道に変わっていた。

その勾配《こうばい》を、十字架を背負って一歩一歩進んで行く、イエス・キリスト。

やじうま達に、石を投げつけられながら、最後までご自身のおみ足で坂を上り切ったイエス様。

今自分は、あの方と同じ体験をしている。試練を与えられている。

ウンコという十字架を背負い、一歩一歩進んで行くのだ。

そうか、この得難い体験をさせるために、創立者はこんな山の上に学校を作ったのか？　すべては主《しゅ》のお導き……。

きっと乗り越えられるはずである。

精神的に追い詰められた僕は、そんな訳の分からない熱に浮かされ、歩き続けた。

しかし、もちろんのこと、所詮《しょせん》は凡人である。「主」とは比べるべくもない。

さて、物語としては、ここからなんとかグラウンドにまで辿り着き、トイレに駆け込んで、よし、これで助かった！　とズボンを下ろすその刹那《せつな》、あと一歩のところで漏らしてしまった。くそっ、あと少しだったのに、なんでだー⁉……くらいの方が盛り上がる。こちらも芸人の端くれ。分かっている。

ドキドキハラハラの筋立て。読者を惹《ひ》きつける効果も十二分に狙えるというものだ。

ただ一つ言っておきたい。

「事実は小説より奇なり」などと言うが、それを言う人はつまらない駄作の小説しか読んだことがないのだろう。たいがいの場合、当然小説の方が「奇なり」であって、だからこそお金を払って読むのである。

これはあくまで現実の話。現実はしょうもない。

完璧な処理

僕はすでに……漏らしていた。

何なら「ピーカーブー……」の数秒後にはもう漏らしていた。

闘いのゴングが鳴ったその直後である。

しかし、誤解のないように言っておくがこれは「わざと」だった。僕は、瞬時の判断でよりクレバーな作戦に切り替えていたのである。

つまり、あまりにも「便意」が巨大だったので、「一回小出しにしとこう！」というケツ断を下したのだ。

パンツ部分で食い止められる程度に小出しすれば、お尻の門を突破しようとするヤツラの圧力もいくらか減らすことができるだろう。

その分、太ももを密着させた、歩きにくい「ガールズコレクション体勢」を解除して、より速く歩くことができる。

そうすれば、その後想定される、「洗面所での洗濯」に時間をかけられるし、何より他の生徒が登校してくるまでの時間を稼げる。

つまり、最小限の被害でこの危機を乗り越えられる。そう判断したのだ。実にクレバーである。

中学生にして、これはなかなかの危機管理能力だ。

そう自分に言い聞かせ、慎重に力加減をしながら「小出し」にした。ケーキに絞り袋でホイップクリームをちょこんとデコレートするイメージである。

「ブリッ!!」

朝の閑静な住宅街に、ビックリするほど、その音は響いて周りの家の窓のカーテンが、シャーーー!!と一斉に開くんじゃないかと怯《おび》えたが実際は何事も起こらなかった。

ただ思っていたより、随分多めに、そして思っていたよりかなり「ゆるい感じ」のものが出た。

モコモコッと自分の制服のお尻の部分が膨らんでいくのが分かった。アフリカの母性たっぷりのお母さんのようなシルエットになっていたに違いない。

あとはなるべく早くグラウンドに辿り着くだけだ。

そこから急いで歩き、五分ほどで、グラウンドの便所に到着。

終始、不快な違和感が下半身にあったが我慢して歩いた。想定より大分近かったので、「もしかして、少しも出さずにノーダメージでここまで来られたんじゃないのか？」と一瞬自分の判断を後悔しそうになったが、今はその時ではない。

便所に着くと、まず個室に入りカギを閉める。来る途中、学校関係者には誰も会わなかったが、時間的に、そろそろ生徒達が駅に着くころだ。

しばらくすれば、そいつらが大挙して登校してくる。残された時間は多くはなかった。まずは、被害状況の確認である。二次被害を避けるため、先に靴と靴下を脱ぎ、裸足《はだし》になってから慎重にゆっくりゆっくりゆっくりズボンを下ろす。便所で裸足になるのは、「ベンバン」のおかげでまったく抵抗がなかった。

もう歩いている途中でなんとなく分かってはいたが、ズボンもやられていた。制服のズボンのお尻あたりに、大きな染みが広がっていた。カップアイスを開けた時のふたの裏のように、しっかりとあれが付いていた。ペロリと舐《な》めるわけにもいかない。

ズボンを慎重に裏返しにして、脇に置く。さあ、お次はパン……べっとりだった。

もうハッキリべっとりだった。

それもズボンに触れないように脇《わき》に置く。小出し作戦でなんとか辿《たど》り着いたが、お腹の痛みも、もう限界だった。

便器に腰を掛け、残りのヤッらをすべて解放するべく僕はいきんだ。

「プス――――――」

長い長い溜息《ためいき》のようなおならの後、それ以上何も出てこず、腹痛は嘘のように収まった。

全部だった。思っていたより多めに出た、「小出し」。それがすべてだった。なんやねん!!

十六両編成の新幹線だと思っていたら、田舎の在来線二両と、あとはただの雰囲気だけだったのである。

騙《だま》された。それなら、ギリギリまで我慢して、なるべく便所に近い地点で出していた方が、ズボンに浸食する量も減ったんじゃないか。うんこと生地が接触している時間も短くて済んだんじゃないか。

後悔しても、後の祭り。今は時間がない。

個室のドアを開け、コッソリ外をうかがう。まだ人影はない。僕は下半身丸出しで、外に設置されている水飲み場まで素早く行くと、まずは自分の体を丹念に洗った。ふくらはぎあたりまで来ていた。

続いて、パンツとズボンの被害個所《かしょ》を無心に洗い、きつくきつく絞って、パンパンとはたいてから穿《は》いた。教室まで行けば校内着に着替えられるので、制服は脱げる。問題はパンツだが、これはなんとか体温で乾かすしかない。大丈夫だ。乗り越えた。完璧なはずだった。幸い誰にも見られていない。大丈夫。そう自分に言い聞かせながら、教室へと向かう。タイムロスがあったのに、一番乗りだった。ついている。早々に、校内着に着替え、制服のズボンは椅子の下にある収納スペースに放り込んだ。しばらくすると一人二人とクラスメイトが登校してきた。

体温焙煎の香り

事なきを得た……僕は胸をなで下ろしていたが、本当の勝負はこの後だった。一時間目が終わり、二時間目も終わった。三時間目が始まろうとしたその時、ほのかな香りが僕の鼻を刺激した。

「えっ……なんで？」

そうなのだ。しっかり洗ったつもりだったが、所詮、水で手洗いしただけ。パンツの繊維の奥にもぐりこんだヤツラはまだ完全に洗い落とせていなかった。そしてたちの悪いことに、ヤツラは乾いた時の方がより香り高く存在感を増すのである。コーヒーとかカレー粉と同じ、焙煎《ばいせん》効果。この場合、僕は自らの体温で焙煎していた格好である。

今、最高に香ばしい香りが僕の下半身から立ち上り始めた。

「ダバダーダーバダバダーダバダー♪」と聞こえてきそうだ。

椅子の下に放り込んだ制服のズボンも、夏の暑さで乾き、香りが蘇《よみがえ》っているに違いない。

今はまだ周りの誰も気付いていない。動いては駄目だ。少しでも動けば、僕の周りの空気が動く。気流が乱れて、隣の席の生徒の鼻先にふらふらと漂っていくかもしれない。

僕は微動だにしなかった。できなかった。

自分を取り巻く周りの空気、その空気の粒子の一つ一つを、分子のレベルで意識することができた。

まばたきすら許されない。じっと動かない僕。いつもなら授業中、積極的に手を挙げ先生にアピールするのに、分かっている問題にも手を挙げない。今は駄目だ。

暑い夏のこと、パタパタ下敷きで扇ぐ者、せわしなくノートをとる者、教科書を読み上げながら教室をゆっくりと歩きまわる先生。開けられた窓からそよいで来る爽《さわ》やかな風。

空気を動かす要素は無数にある。

僕の鼻先にはもうかなりの勢いで「フレイバー」がやって来ている。鼻先に立ち止まって、じっとしている。先生が僕の横を何か講釈を垂れながら通過した。空気が動き、僕も風を顔に感じた。次の瞬間、隣の席の生徒が、「あれ?」となったのが分かった。直接、顔を見なくとも気配で分かる。

時を同じくして、前の席のヤツの背中が「あれ?」となった。背中で語るとはこのことだ。

もう駄目だった。それを皮切りに、「あれ?」と「ん?」が広がっていく。

オセロなら大逆転。

僕の席に黒を置く。するとその瞬間、盤面を覆《おお》い尽《つ》くしていた白が、パタパタパタパタと次々にひっくり返って黒になっていく。この場合は茶色だが。

「あれ?」がクラス中に広がっていく。生徒たちの頭の上の虚空に「?」が浮かんでいるのが僕には見えた。

なんなんだ、この臭いは? マジか? 誰やねん?

まだその「誰が」には、辿り着いていないが、それも時間の問題だ。

「ざわ…ざわ…ざわ…」でお馴染《なじ》みの漫画があるが、あれの「クサ…クサ…クサ…」バージョン。

なんとかこのまま授業が終わるまでしのげば、休み時間中に対策を講じることもできるはずだ。ことここに至って、僕はまだ儚《はかな》い希望を抱いていた。

隣のヤツが僕の方を見ている。前のヤツもこちらをちらちら振り返り始めた。

完全にばれた。終わりだ。……しかし、誰も何も言ってこなかった。

山田君から、なにか変な臭いがしてくるし、その成分は間違いなく「ウンコ」だ。

でも、どうしたらいいのか分からない。僕もどうしていいのか分からなかった。意味の分からない膠着《こうちゃく》状態が生まれていた。

これが、申し訳ないが、あんまり成績もよくない、普段から気軽にからかうことができる、良くいえば「ムードメーカー」、悪くいえば「劣等生」の子なら、事態はこうもナイーブにはなっていなかったはずである。

そういう子なら、ひとしきりいじられ、からかわれ、「笑い」でしのげたであろう。究極、「テへへへ……」くらいの簡単処理ができたはずである。

うまくいけば、卒業まで「ウンコ」ネタで引っ張って、人気者になれたかもしれない。

しかし、自分で言うのも本当になんなのだが、僕は「勉強も運動もよくできる優秀な生徒、「山田君」であった。

それが、軽快にピエロを演じるのを邪魔していた。

誰も突っ込めず、お互い事態をどう収拾してよいのか分からぬまま時間だけが過ぎていく。

「可愛い女の子が、鼻毛を出している」のを、上手《うま》くいじって、誰も傷つけず、その場をなごませた男が、人類史上、いまだ誰一人現れていないように、これもまた、その時の人類には、ましてや中学生の僕達には、もう次の世代に託《たく》すしかない、手に余る問題だった。

反面、僕らは僕らなりに、空気を読んだ……というより、空気を嗅《か》いだのだとも言える。

完全にウンコの臭いが教室に充満し、誰かがマッチでもすれば爆発しかねないいくらいの濃度で立ちこめていたが、そんな中、誰一人僕に突っ込まず、僕も突っ込ませず、時間だけが過ぎていった。

誰も責めることはできない。責めるとすれば、前の日の晩ご飯に、カキフライを出した、母であろう。

帰りの電車

四時間目が始まる前に、この気を遣われている、「ぬるーい空気」の中での、「屈辱の半身浴」に耐え切れず、僕はひっそりと教室を抜け出し、誰にも何も告げぬまま家に帰った。

帰りの電車では、自分の発する臭いに怯《おび》えながら、なるべく人気のない車両を選ぶ。夕方にもならない中途半端な時間の下り電車。毎朝、毎夜のラッシュの電車しか乗ったことがなかったので、

「普段はこんなに空《す》いてるねんな～……」などと、この非常事態にそぐわないのんきな感想が頭をよぎったが、次の瞬間、鼻先をかすめる臭いに正気に引き戻され、少しでも風通しが良さそうな、ドアの戸袋のところに移動する。

近くに座った乗客が、怪訝《けげん》な表情を浮かべた後、僕から離れていく度に、電車から降り、知らない街の駅のホームを、自分の下半身から出て来る臭いから逃げるようにうろうろし、電車が来れば乗りというのを繰り返しながら、なんとか家に辿《たど》り着いた。

家には学校から、ジャンジャン電話がかかって来ていたらしく、帰るなり、母に「順君、ちょっとどうしたん？」とめちゃめちゃ探られた。素直に心配してくれていたの

だろう。が、体がしんどかったからと言って、「ゴメン」と一言謝って済まし、すぐお風呂《ふろ》に入った。

普段から完璧な振る舞いの優等生だったので、それ以上特に追及されなかったが、帰宅するなり、口数少なく風呂に直行したので、もし僕が女の子だったら、母もあらぬ事態を想像し、もっと根掘り葉掘り聞かれたかもしれない。

自分でも意外なのだが、次の日から、夏休みに入るまで、ちゃんと学校には行っていた……と思う。前日あんなことがあったのに、僕も、同級生達も、先生も、「シラー」っとやり過ごしていた。誰も特に何も触れない。僕も何も言わない。

一人だけ、「順三、昨日どないしたん？　なんで帰ったん？」と聞いてきたヤツがいたが、僕は、「ちょっとしんどかってん」と、母にしたのと同じ答えを返しただけで終わった。

あれは多分、みんなの代表で聞きに来た、斥候《せっこう》的な役割のヤツに違いなかった。ここで、「ウンコ漏らしたから帰ってん……テヘヘ」と言えれば、何の問題もなかったのかもしれない。

多少いじられることにはなったろうが、それはそれで楽しかったのではないか。しかし、その時の僕は認められなかった。漏らす側には絶対に回れなかったのである。

神童感が邪魔をしたのだ。

とにかく、数日か数週間か定かではないが、何を思ったのか、僕は学校には通い続け、夏休みに入る。

おそらく、「学校を休む」といった、道を踏み外すことに対する恐怖心が勝っていたというか、そもそも発想の外で、選択肢にも挙がらなかったのだろう。

とにかく、これで夏休みを過ごして、新学期から、また今まで通りやっていける。大丈夫だ。そう思っていた。

結局、それがすべてではないが、ウンコがきっかけで、あそこまで長い長い引きこもり生活に自分が突入するとは、その時の僕は思ってもみなかった。

ドリアンだと思ったら……

［エッセイ］

黒い煎餅《せんべい》

阿川弘之

〝関ヶ原の合戦を想像することがある。
東西十万の軍勢が対峙すれば、
美濃の山野はもののふの糞と小便で
黄金の河を成しただろう。
鎧兜《よろいかぶと》の若武者の中に、
下痢患者もいたにちがいない。〟

阿川弘之は、海軍での体験をもとにした戦争物や、私小説的作品、伝記物が有名です。娘で、作家・エッセイストの阿川佐和子さんによると、怖い父親だったとのこと。でも、こんなエッセイも書いています。

ドリアンのある国なら、「ドリアンのにおい」と思ってもらうこともできるんだなあと、このエッセイを読んではじめて気づきました。

論語や聖書には糞尿が出てこず、仏典にはふんだんに出てくるというのにも驚きました。

阿川弘之（あがわ・ひろゆき）
1920−2015　小説家、評論家。広島市生まれ。1942年、東大国文科をくり上げ卒業し、海軍予備学生として海軍に入る。戦後、志賀直哉に師事。1953年、学徒兵体験に基づく『春の城』で読売文学賞を受賞。主な著作に『雲の墓標』『舷燈』『暗い波濤』『山本五十六』（新潮社文学賞）『米内光政』『井上成美』（日本文学大賞）『志賀直哉』（野間文芸賞、毎日出版文化賞）『食味風々録』（読売文学賞）など。1999年、文化勲章受章。

バスに乗りこむと、かすかにドリアンが匂った。如何《いか》にも南の国へ来た感じがしてなつかしかった。

陽光まぶしい島の朝で、遠く赤い花の生垣が見え、丈高《たけたか》い椰子《やし》の葉末《はずえ》の風にそよいでいるのが見える。

昔、南方から復員した友人に、ドリアンとはどんな果物かと訊《たず》ねたら、

「甘くてくさくて、シュークリームに濃いチーズをたっぷり練《ね》りこんだような」

一旦《いったん》好きになると病みつきになると話してくれた。

食糧の乏《とぼ》しい時代だったし、食べてみたいと思った。長い間思っていた。

二十数年後、泰国《タイ》を訪れる機会があって望みが叶えられた。うんこの匂いが鼻について初めての人にはとても食えたものじゃありませんが、そんなに御執心《ごしゅうしん》なら試してごらんなさいと言われた。

仏頭《ぶっとう》のかたちをした西瓜《すいか》ほどの大きさの堅い実を、露店商人が斧で叩き割って差し出すと、確かに異臭がするけれど、美味いチーズと思えばさして気にならなかったし、

実際美味かった。ねっとり濃厚な果肉を其《そ》の場で充分味《あじわ》って、食べ余しは捨てた。他の諸式と較《くら》べずいぶん高価な果物で、勿体《もったい》なかったが、泊っているホテルがドリアンの持ち帰りを禁止していた。

独特の強い臭気だけでなく、催淫作用があって、ビルマの俚謡《りよう》か諺《ことわざ》に、

「ドリアン下れば

腰巻上がる」

というそうだから、格式張ったところでは嫌われる。

もう一度食いたいかと聞かれれば、多少酢豆腐の趣《おもむき》もあるけれど、この匂いはなつかしい。

三輌《りよう》連結の、ちょっと玩具《おもちゃ》のような飛行場の構内バスが動き出した。膝に手に買物袋免税品の袋をかかえた色の黒い人々で一杯である。日本人観光客もいるが、昨夜東京で同じ会社の香港始発便台北始発便に接続したため、南方中国系の顔が多かった。あの、龍の模様のついた袋のどれかにドリアンが入っているらしい。

「だけど変だな」

南の国といっても此処《ここ》はホノルル空港で、植物検疫がすこぶるやかましい。正規の検疫証明無しでは、他国他州からどんな農作物も持ちこめない。蜜柑《みかん》であろうと大根

人参であろうと草花の種であろうと、見つかり次第没収される。ハワイでドリアンは実らないし、マーケットで見かけることも絶えてない。誰が何処《どこ》から、それと知らずに悪魔の果実を持って来たのだろう。隠しても、これだけ匂えば露見する。かすかながらはっきり匂っている。

不思議に思っているうちに、バスが中央ターミナルへ着いた。下りて入国審査の列に並ぶころには匂いがしなくなった。

ハワイへ来て何をするのが楽しみかといえば、何もしないのが楽しみである。薫風《くんぷう》常に吹き来たる窓べの寝床に横になって、長い昼の眠りを眠る。ここ二年ほどの間、同窓同期の者の臨終、骨上げに何回となく立ち会った。いずれ順番がまわって来るのだが、快いこの午睡《ごすい》がそのまま永《なが》の眠りにつながって、仮寝のシテはいつか後ジテに姿を変えと、そういう具合に終れたらどんなに安気なことかと思う。

めざめて少しの書きものと好きな本。日の光にみたされていた空が、山沿いの方、突然驟雨《しゆうう》になつて晴天の虹が出る。窓の正面は紺青《こんじよう》の海。見物もしないし買物もしない。テレビも新聞も見ない。

京都の人文科学者K老博士は、観海流泳法《かんかいりゆう》の免状持ちで、先年、色とりどりの熱帯

魚の群れる当地の磯へ出て、

「ええなあ、なかなかええなあ」

子供のように水とたわむれながら、

「しかし、此処《ここ》では哲学は生れんなあ」

と述懐《じゅつかい》されたそうだが、哲学なぞ生れなくても構わない。世間並みにはすでに停年退職の時期が過ぎ、友人知人を次々喪《うしな》う年齢にさしかかった者にとって、東京での日常は時に狂気の沙汰《さた》と感じられる。朝、新聞を開くと、また誰か死んでいる。祝儀不祝儀偲《しの》ぶ会の義理をすべては欠けないいし、好きな時好きなことだけしていたいというような勝手は到底許してもらえない。ただ、旅に出てしまえば人がそれを認める、或《あるい》はあきらめる。

「用が出来たら国際電話を下さい。十五秒でかかります」

と、番号も言い残しておくのだけれど、まずかかって来たためしが無い。家で毎日毎夜鳴る電話、あれは要するに、聞くべき主がいてもいなくても、たとえ旅先で冷めたくなっていたところで、世間に大して差し障《さわ》りの起らぬ程度の事であるらしい。

車を走らせて宿へ着き、のどかな気分で荷ほどきをしていたら、再びドリアンが匂い出した。今度は明らかに変であった。いかん、こりゃドリアンとちがうと気づいて、急いで浴室へ入つた。

夜通し窮屈な姿勢で飛行機の座席に坐っていると、むやみに腹が張って来る。機内の明りが消えたあと、こっそり屁をした。その時少し洩《も》れたと見える。褐色というよりもっと黒ずんだ小さな煎餅《せんべい》のようなものが、下着に附いていた。尻の下で五六時間、圧《おさ》えつけられ暖められつづけて、乾き切っていた。独り、笑えもせず、

「おいおい」

大声で呼ぶと、連れが駈けて来た。扉越しに訳を聞いて、

「また？ いやねえ。どうしてそうお尻ぐせが悪いのかしら」

と言った。

ドリアンと間違えたのは初めてだが、尻ぐせが悪いのは昔からである。色んなことを思い出した。

二十二年前、最初のヨーロッパ旅行中にも、パリの美しい繁華街を歩いていてちびった。あっと思ったが、どうしようも無い。ズボンの尻に手をあててみると、滲《にじ》み出していた。タクシーを呼びとめ、片言のフランス語で下宿の所番地を告げ、きれいな革のシートにしみをつけては悪からうと、腰を浮かせて帰って来た。チップをはずん

だので、

「メルシ、ムッシュウ」

爺の運転手がにっこりしたが、黄な顔のムッシュウの漏らした黄なものの匂いに気づいていなかったかどうか、保証のかぎりでない。

外遊の未《ま》だ珍しがられた当時で、帰国後、

「パリ滞在中一番印象深かったのは何ですか」

と聞かれると困った。モネの美術館よりシャルトルの寺院より鮮烈な印象として残っている失敗があるけれども、相手構わず話せることではなかつた。

食い過ぎてよく腹をこわすのと、もう一つ、痔疾《じしつ》のせいだと思っている。落し紙にも不自由していた時代、新聞雑誌を読んだはしから千切《ちぎ》って揉《も》んで使った。血が出るようになり、湯で清めるといいのだが入浴も不如意で、だんだん悪化した。

その後、手術をすすめてくれる人があり、決心しかけたこともあるけれど、今となってもう切る気は無い。切って再発した例をしばしば耳にする。癌でも痔でも、再発というのはまた格別に情ないだろう。手術するから再発する。それに、戦時中機銃弾にもあたらず、郷里にいなかったから原子爆弾にも遇《あ》わず、マラリヤは根治し、これがたった一つの戦争後遺症であって、いくさの記念にだましだまし火葬場まで持って行くつもりでいる。頑固な水虫が焼場でついに往生するというが、痔もあそこで最期を遂《と》げ、その時持主の戦後が終る。

だが、そのため折々の不都合が発生するのは事実で、糞便に人一倍関心がある。英語でスカトロジーというものと少しちがうつもりである。

一昨年論語を通読して、人類の知恵の書といわれるこの古典が、糞尿廁《ふんにょうし》のことを一行も記してないのに気づき、驚いた。名高い「宰予昼寝《サイヨイ》ヌ」の章に、「子曰《イワ》ク、朽木《キュウボク》ハ雕《エ》ル可《ベ》カラザル也《ナリ》、糞土《フンド》ノ牆《ショウ》ハ杇《ヌ》ル可カラザル也」として、「糞」の字が一字だけ出て来るが、便の意味ではない。飲食に関しては度々説いているのに、それの排泄について、論語は一切触れず語らずである。

「聖書はどうでしょう」

似たような関心をいだいているアメリカ人の友だちに訊《たず》ねてみた。

「無いと思う。多分無い。大切な問題なんだが、少くとも新約には出て来ない」

との答であった。

二千年前孔子とキリストが共に語るのを避けた主題は、後世の知者哲人文筆家も皆避けて通る。語られる場合は、多く滑稽譚《こっけいたん》としてである。

性のタブーの方は国と時代によってずっとゆるやかになり、書き手に人を得ればすぐれた描写が生れ得るし、生れているけれど、よくよく物を案ずるに、如何《いか》にはげしい男女秘戯《ひぎ》の歓《よろこ》びも、一定の年齢から一定の年齢まで、而《しか》も毎日でない。

それに引きかえこちらの業は、生を享《う》けた日より死の日に至るまでしつこくついて廻《まわ》り、一夜といえども疎《おろそ》かにすること不可能なのに、その悩み、その快感、それをする時の人の表情――、犬が尻をかがめて糞をしている時の顔つきは、便器にまたがった子供の真面目くさった表情とよく似ている――、その形状その色その匂いが、描かれ芸に昇華した古今の例を稀《まれ》にしか思いつかない。

関ヶ原の合戦を想像することがある。東西十万の軍勢が対峙すれば、美濃の山野はもののふの糞と小便で黄金の河を成しただろう。鎧兜《よろいかぶと》の若武者の中に、下痢患者もいたにちがいない。甲冑《かっちゅう》はずして「御免候《ごめんそうら》え」、度々野糞に走るのは、苦しい上に危険だったと思われる。軍記物はそのことを書いているかしらん。糞尿の河の中で、己がうんこをちびりながら死んだあわれな下痢武者のいたであろうことを。

一の谷の敦盛《あつもり》さんは、斬られる時せつな糞を洩らさなかったか、平家のみやびな公達《きんだち》女房は、船上で便意を催した際如何《いか》に振舞《ふるま》ったか。平家水軍の舟に厠《かわや》の設備はあったのか無かったのか。

「無学のせいで一つも分からない」

と言ったら、

「源平関ヶ原よりもっと昔のことですが、青丹《あおに》よし奈良の都がですね」

と、珍しい史実（？）を教えてくれた物識《ものし》りの知人があった。

「奈良の都が平安奠都《てんと》をせざるを得なかった理由は、大和盆地には大きな川がありません。人口が増え、咲く花の匂うが如《ごと》き大路《おおじ》に糞尿があふれかえって始末がつかなくなったからだという説があるんです」

「なるほど。平城京も佐保川も、奈良朝末期にはずいぶんくさかった──」

「くさかったでしょう」

「さもあらんかと思うなあ。北陸の豪雪で急行列車が幾晩も立往生《たちおうじょう》した折《おり》、新聞テレビが報道しなかった最大の厄介事《やっかいごと》は、乗客の便の始末だったと聞いています。此《こ》のことに関して、聖書と論語は駄目ですが、仏典は何か説いているんじゃないだろうか。『人間是《これ》糞袋』と言った禅僧があるし、印度《インド》の文学はうんことおしっこの話を袖《そで》にしてないそうですよ」

日を経て、知人の手紙がとどいた。

「遅くなりましたが、過般《かはん》疑問御提示の件、専門家の意見を徴《ちょう》せしところ、大蔵経《だいぞうきょう》を見ればそんなものの二十例や三十例すぐ拾えると言われ、漢訳大蔵経にあたってみました。

摶糞《だんぷん》、乾糞《かんぷん》、屎、屎尿《しによう》、小便、糞、尿糞、糞集、大小便器、大小便利、廁《かわや》、便利、大小便室、大小便所等の語が随所に出て来ます。ただし難しくて、摶糞乾糞をどうしろというのか、もう少し勉強しないことには分らないです。

コーランは糞便について触れておりませんが、モハメッドの言行録と言われるイスラム教第二の教典『ハディース』には、実生活上の様々な規律が説かれていて、礼拝の仕方、断食の規則などと並んで上廁《じょうし》の作法、砂漠での糞尿の処理法をしているとのことであります。

尚《なお》、スカトロジーなる英語は、辞書には当然記載がありますが、英文大百科辞典は孔子さま流にこれを無視し、項目として採用していないのを発見しました」

尻でしくじった一番古い記憶は、小学校初年の時である。先生に引率されて厳島《いつくしま》の弥山《みせん》に登った。弥山の頂上に宿坊は無いはずだが、どういうわけか、一と晩泊って朝早くだったような気がする。

松の間から瀬戸内海が見えた。朝霞の棚《たなび》引く谷に向っていい心持で立小便をしていると、屁の一つ出た勢いに実も出た。

先生に訴えるのが羞《はずか》しく、何処《どこ》でどう処置していいか思案がつかず、そ知らぬ顔して山を下り、連絡船で対岸の宮島駅へ渡って電車に乗ったら、

「ありゃ、くさいど」

と、級友の一人が勘《かん》づいた。

「くうさい、くうさい」

「誰じゃろうか、くうさい」

「くうさい、くうさい、くうさい、くうさいのう」

泣きだせば白状するようなものだから、泣きたいのを我慢した。家へ帰って、母親にぶつぶつ言われながら、大盥《おおだらい》一杯湯を沸《わ》かして始末してもらった。

あれから五十年経って、今ハワイにいる。

「遺伝じゃないんですか」

と、連れが言った。

「うちの女系統には此《こ》の癖無いのにねえ」

二十七歳になる長男の名を挙げ、

「あの人が小学生の時、やはり盛大にやりましたよ。ズボンも沓下《くつした》も、運動靴までよ

ごして帰って来て、いきなりお手洗へ駈けこむから、廊下にこぼれて板の隙き間《す》へ染みこんだのを拭き取るのに、あとで苦労したわ」

遺伝かどうか分らないけれど、弥山でのしくじりを考えると、必《かならず》しも痔のせいばかりではないかも知れない。五十年間、親子三代にわたるくさい小事件を一つ一つ思い出してみても無意味なことだが、潔癖でしものしまりのよかった母も、七十七歳で世を去る間《ま》ぎわにはちびった。

「おじいさんの方は、中風《ちゆうふう》で不自由な身体になってのちだから同情に値するんだが、『おいおい、ちょっと見てくれんか。何かちいと出たようじゃ』と始終言ってた。脱がせてみるとべとべと」

連れは大げさに顔をしかめ、

「ドリアンはそのままで結構ですから、お尻だけシャワーでよく洗って下さいましたか」

と、かさねて言った。

「洗ったよ。水着に着替えて、今から一と泳ぎ、さっぱりして来るんだ」

途中、白いプルメリヤ、喬木《きようぼく》のアフリカン・チューリップ、滝のようなブーゲンビリヤの花垣を眺めながら、自分で車を運転して十五分で郊外の浜へ着ける。此処《ここ》では何処《どこ》へ何しに行くにも片道十五分以内、時間というものが次第に惜しくなっているので、そのことをまことに有難く感じる。

マスクをつけて海へ入った。ブダイの一種だろうと思うが、我流で鯉のぼりと呼んでいる青い大きな魚が泳いでいた。尾も振らずに、珊瑚の間を悠々《ゆうゆう》泳ぎ抜けながらツーッと長い黄な糞をする。

蝶々魚《ちょうちょううお》、ニザダイ、虎うつぼ、珍しく鱏《えい》も見た。ある距離以上人を近づけないが、逃げようともしない。獣のような面《つら》つきで、かすり模様の両翼、優雅に波打たせてゆっくり深みへ向って行く。三尺はありそうな針状の尾に手を伸ばしたら、突然、アフタ・バーナーに点火したジェット機の如き勢いで姿を消した。

一時間ほど魚を相手に遊んで、岸へ上った。駐車場まで戻ってみると、焼けた自動車の屋根に鳥の落した糞が白く乾いていた。生きとし生けるものがうんこをしていると思った。

小鳥や魚の糞は不潔と感じないのに、人糞は話だけでもきたない。魚を裂いて腸を取り出せば食欲を覚えるのに、人体を裂いて腸内の糞を見ると気持が悪くなるのは何故かと思う。

いつか、死体解剖を見学した時、若い医者が氷嚢《ひょうのう》のような物をつまみ上げて、

「膀胱《ぼうこう》です。中のは尿です」

と言い、腹腔の隅にころがっている黒い塊《かたま》りを指して、

「大便です。出血のためあんなに黒くなっています」

と言った。

その晩、食事が喉を通りにくかった。

浜の帰り、あすの朝飯用の果物を買いに寄った。パパイヤ、グレープフルーツ、オレンジ、日系人の農園で出来るいちじく、輸入物のりんご、バナナ、葡萄《ぶどう》、西洋梨、メロン。

「マンゴはありませんか」

と聞くと、

「今、季節じゃないから」

「むろんドリアンは輸入してないね」

「ノー」

帆布《はんぷ》の前垂《まえだ》れをしめた店員が肩をすくめて見せた。

ドリアンはシュークリームにチーズを練《ね》りこんだような物と言った古い友人が、つい先ごろ死んだ。口に突っこまれた人工呼吸用の管を絆創膏《ばんそうこう》で固定され、本人にとっ

ては多分もう苦しくもない苦しげな息をしながら、意識不明のまま二日間持ちこたえて五十九歳で亡くなった。

臨終に立ち会った。人工呼吸の道具を取りはずしたあと、遺体の口が歪《ゆが》んでいた。しもの具合は見もしないし聞きもしなかったが、最期はむろん垂れ流しだったろう。

「パパイヤを買って来たよ。――鱏《えい》がいて鯉のぼりがいた。凪《なぎ》で水が澄《す》んできれいだったが、穴から出たうつぼがにゅるにゅるやるのを見てたら、とぐろ巻いた上等の大うんこを連想した」

連れは、洗濯物を一と山片づけている。

「うつぼのようなの、ハンバーガーを叩きつけたようなの、色々出るのも、まあ生きているしるしで」

言いかけると、

「S先生はこういう話なさらなかったと思う」

と遮《さえぎ》った。

「そうでもない。嫌いじゃなかった。ただし癇性《かんしょう》だから、自分で洩《も》らしたりは決してされなかったろうな。老年になって、身心ぼけてしものの怪しくなるのを非常に恐れておられたよ」

「昔、そう言えば、S家でシチューをこしらえて」

と、連れが思い出話を始めた。

先生の註文で、牛の尾の煮込みを作ったことがある。布帛《ふはく》でドミグラス・ソースをしぼり漉《こ》し、布帛の中に残ったみじん切りのセロリや人参を検《あらた》めていたら、

「何か思い出すわね」

夫人が、のぞきこんで微笑された。先生が胆石を患《わずら》った時、ちょうどこんな風に、みんなでうんこを漉《こ》して石を探し出したと。

「つい此《こ》の間のような気がしますけど、二十三年前ね。初めてホノルルへ来たのは、あのあとすぐだったんです」

何もしない一日がずいぶん長かったように思うのに、陽はもう真珠湾の方へ傾いていた。たたんだ洗濯済みの肌着類に西日があたって、ひどく白い。ドリアンと間違えた黒い煎餅は、諸行無常のハワイの水で洗い去られ、今ごろ沖の、また引く汐《しお》にゆられ流れて、跡白波《あとしらなみ》とぞなりにける。

親子三代

［エッセイ］トルクメニスタンでやらかした話

阿川淳之

〝流すボタンなど、どこにも無い。
おかしいぞ、どこだ、ボタンは。
これ、流さないっていうわけにはいかないスケールだ。
頭の中で、神への冒瀆《ぼうとく》という言葉が駆け巡る。
浄める場所なんだから、浄めるボタンがあるはずだ。
探す、探し続ける。
でも無い。〟

阿川弘之のエッセイに「親子三代」という言葉が出てきました。阿川弘之の父も漏らし、阿川弘之も漏らし、阿川弘之の長男も漏らしたという話が書かれていました。

今回さらに、三男の阿川淳之さんが、トイレに間に合わなかった話を、書いてくださいました。本書のための書き下ろしです。

父と子の漏らした話のエッセイが並べて収録されるというのは、これまでになく、今後もないかもしれません。ありがたいことです。

阿川淳之（あがわ・あつゆき）
1972－　阿川弘之の三男。阿川一家をモデルとした、阿川弘之の小説『末の末っ子』で、妊娠発覚から出産までの様子がユーモラスに描かれている。誕生時、父の阿川弘之は51歳、母のみよは44歳、長男とは21歳年の離れた、まさに「末の末っ子」だった。1996年、日本航空に入社。ロサンゼルスやヘルシンキでの勤務を経て、現在は国際提携部の部長として海外エアラインとの提携業務を担当している。

「遺伝じゃないんですか」

「黒い煎餅《せんべい》」（本アンソロジーに収録）で下《しも》の失敗をした父に対して、母がかけた言葉である。ドリアンの強烈な匂いに引っ掛けて、父が自らの失敗談を描いたこの作品を何年か振りに読み返してみて、遺伝というか、因果というか、不思議な感慨を抱いた。

十年近く前、仕事でトルクメニスタンを訪問したことがある。実際に訪れるまでは、私も恐らく多くの方と同じく、どこかアジアとヨーロッパの間くらいの場所にある、なんとかスタンの一つ、くらいの認識しかなかった。トルクメ、というくらいだから、トルコが関係しているのに違いない、カザフスタン、ウズベキスタン、アフガニスタン、トルクメニスタン。ともかくあまり馴染みの無い遠くの国で、今度の夏休みにちょっと行ってみようか、という類《たぐい》の国ではない。少し調べてみると、旧ソ連の構成国であり、国土の殆《ほとん》どが砂漠で、夏は50℃近くになる。よって、国を挙げて緑化に取り組んでいる。「ソ連から離脱後の初代大統領が大好きだったので、「メロンの日」という休日がある。天然ガスがたくさん採れるので、そのお金で経済は潤《うるお》っており、もともと砂漠であった首都アシガバードはほとんどすべての建物が大理石で出来ていて、主要な政府機関やホテルなどはどれも奇妙奇天烈《きてれつ》な形をしていて、夜はピンクや紫に怪しくライトアップされている。国家形態としては、民主主義国家で、しかも永世中立国なのに、報道規制が大変厳しく、世界でも指折りのメディア規制がなされている。云々《うんぬん》。

実際、私が訪れた時も、空港から市内までやたらに大理石を多用した建物が並ぶ道中、至る所に警察官が立っていて、観光客（と言っても私たちくらいしかいないのだが）がカメラで市中の様子を写そうものなら、すぐに飛んできて、「カメラ、ダメダメ」と注意する。ホテルのロビーで写真を撮ろうとした時もロビーでうろうろしている警察か警備員にやんわりと「カメラ、ダメダメ」された。私ごときが携帯電話のカメラで何を撮ろうと問題無いだろうに、何を警戒しているのだろう。

長い滞在の合間に、一日休日があり、せっかくだからトルクメニスタン観光でもするか、ということになった。現地のツアー会社にお願いした小さなバスで、「中央アジア最大のモスク」なるものへ行ってみることにした。訪れてみると、想像以上の壮麗さで、大理石の白さが目に眩《まぶ》しい。バスを降りてから入口に着くまで十分くらい歩いただろうか。聞くと、地下には一度に３０００人が礼拝前に体を浄めることのできる施設があるという。さすがトルクメニスタン、何事もスケールが大きい、などと感心しているとあっという間に帰る時間である。みながモスクを離れようというとき、私のお腹が叫び声をあげた。今行くのはまずいよと。大体、こちらに来てからお腹の調子がよろしくない。外が異常なまでに暑いのと、室内がエアコンの利きすぎで寒いのとを繰り返しているせいもある。しかし、これはあれだ、ホテルの水だ。泊っているのは、高台にそびえたつ高級ホテル。夜になると怪しげに光り輝くこの建物は、私には分不相応な、アシガバードで指折りの高級ホテルだそうなのだが、それで油断した。シャワーの際に水を口に含んだのが良くなかったようである。歯磨きの際もミネラルウォーターを使ったし、もちろん食事だって生もの厳禁で通していたのだが、シャワーの水が口に入ってもいけないとは、そこまで予期していなかった。

モスクを離れようとする皆の背に向け、「ちょっとごめんなさい、トイレに行きたいので、少し待っていてください」。お腹は既にグルングルンと激しく、不穏な音を鳴らしている。私は皆の返事を待たず、トイレを探して地下へと階段を駆け下りた。

地下に降りると、不浄を清めるための大小さまざまなコーナーが並んでいるではないか。ここか？　いや、ここは手を洗うところだ。ここか？　いや、これは小便器だ。お腹、ギュインギュイン。不浄の音がする。えいままよ！　私は堪《たま》らずもっともそれらしい場所に飛び込み、用を足した。間一髪セーフ。なんとか生き永らえた。イスラムの神よ、助けてくれて、ありがとう。我に返り、さあ、流そうと思って見回してみたが、流すボタンなど、どこにも無い。おかしいぞ、どこだ、ボタンは。これ、流さないっていうわけにはいかないスケールだ。頭の中で、神への冒瀆《ぼうとく》という言葉が駆け巡る。浄める場所なんだから、浄めるボタンがあるはずだ。探す、探し続ける。でも無い。ふと見上げると上の方にシャワーが付いていて、隅の方には風呂場で見るような排水溝があるではないか。まずい、ここはシャワー室だったのかもしれない。なにやら座るところがあったので、つい大便用のブースだとばかり。幸い、人目は無い。今日はお祈りの日ではないみたいだ（お祈りの日だったら見学できていない、多分）。水栓をひねり、おそるおそる、茶色の山をそーっと流してみる。山は少しずつ排水溝の方向へ移動するが、流れてくれるわけではない。上では仲間が待っている。いつまでもこうして勝ち目のない戦いを続けているわけにもいかない。えいままよ！（二度目）。明らかに残っていることがわかりつつ、シャワーブースを出た。

帰る道すがら、待たせた仲間に事の顚末《てんまつ》を話すと、「大統領への不敬罪で捕まりますよ」「次に来るとき、入国管理で引っかかりますね、確実に」と、さんざんな言われよう。私だってもう一度来たいとも思っていなかったが、数か月後、何の因果かこの国を再訪することになった。

問題無く入国することが出来て、「さすがにモスクでの失態までは管理しきれなかったか、しめしめ」と思っていたのだが、別のメンバーがまた予備日にこのモスクを見学しようとしたところ、見学は出来なくなっていたという。もしや私がシャワー室で犯した一件が、外部者の立ち入りを禁ずるという決定につながったのだろうか。だとしたら、この地を訪れる方に大変申し訳ないことをした。

自ら書いているとおり、「遺伝的に」下の問題を抱えていた父は、当然ながら晩年も自宅や病院で何度もちびり、私も実は何回か茶色いシミのできたパジャマを洗わされたことがある。「いやねえ」と言っていた母だって、晩年には病院に入り、他人様のお世話になった。父も母も亡くなってしばらく経った。水に流す、と言うけれど（その言葉のように、根に持っているわけではないけれど）、今思えば、父のパジャマを洗ったことも、母の世話をしたことも、すべて懐かしい思い出である。トルクメニスタンのモスクでシャワー室の惨状を発見してくださった方も、きっと両方の意味で水に流してくれただろうと、楽観的に想像する次第である。

第四便

うんこへの特別な思い

うんこにまつわる特別な思い出
あなたにもありますか？

夕陽を見て漏らす

［エッセイ］

石膏《せっこう》色と赤

吉行淳之介

〝この白い夕方と
私を茫然とさせ
脱糞させた
赤い夕暮は、
いったい何なのだろう。〟

うんこの思い出、漏らした思い出が、かなしいとばかりは限りません。

美しい思い出の場合もあるでしょうし、感動して漏らしたということもあるでしょう。

このエッセイで描かれているのは、まさにそういう体験です。

「私を茫然とさせ脱糞させた赤い夕暮」という表現は、他では見たことがありません。

沈みかかっている美しい夕日を見ると、ふとこのエッセイが思い出されます。

吉行淳之介（よしゆき・じゅんのすけ）
1924－1994　小説家。岡山市生れ。東京大学英文科除籍。出版社で雑誌の編集を手がけるが、結核になり退社。療養中の1954年に「驟雨」で芥川賞を受賞。『砂の上の植物群』『暗室』（谷崎潤一郎賞）など、性をテーマとした私小説的な作品が高く評価された。『軽薄のすすめ』などの軽妙なエッセイも人気。その他の著作に『鞄の中身』（読売文学賞）『夕暮まで』（野間文芸賞）など。日本芸術院会員。女優の吉行和子と作家の吉行理恵は妹。

文学全集を本棚から持ってきて、ときおりいろいろな作家の年譜を眺めてみることがあるが、なかなか面白い。肝心なことは脱落しているにちがいないのは、自分の年譜を思い浮べてみても分ることで、年譜の行間を読んでみようとしても結局なにも摑めないが、それでも面白い。

川端康成でも五十歳のときにはまだ借家に住んでいた、と知ると、一昔前の作家の懐具合《ふところぐあい》(つまり社会における立場)におもいが行ったりする。また、私の現在の年齢で、どの作家はどういう仕事をしていたか、と引き比べてみたりもする。あるいは、同年代作家の戦後の年譜を眺めていると、自分自身についての忘れていた事柄が思い出されることもある。

私自身の年譜についていえば、父母に連れられて東京に移住してきた年齢が、三歳になったり二歳になったりで不統一なことが気にかかっていた。

先日眠る前に、生れてから幾年目の記憶にまで遡れるだろうか、と思い出していると、意味あり気な一つの情景が頭に浮んだ。左側に線路があり、平行して広い道がゆるやかな勾配《こうばい》で高くなってゆく。その上り坂の途中の左側に、小さな駅の建物が見えている。私は祖母に手を引かれて登ってゆこうとしたとき、正面の坂の向うの空で大きな夕日が沈みかかっているのが、眼に入った。

この情景は、「砂の上の植物群」の中に書いたとおもうが、そのあとは未公開である。それは隠していたわけではなく、その長篇の部分に嵌め込む場合に不必要であったためだ。ついでに言えば、祖母の年齢をいま勘定してみると、四十歳をすこし過ぎたばかりで、ずいぶん若くて「おばあさん」と呼ばれるようになって、気の毒なことだった。

その夕日はひどく感動的で、立止まって茫然としていると、半ズボンの裾《すそ》のところから兎《うさぎ》の糞のような固い物体が転がり出た。祖母は大層怒り、訪問先の家に引返して後始末をしおわると、また怒った。

そのときの自分の年齢について思い出そうとしてみると、幼稚園（五歳）にはまだ入っていなかったとおもう。しかし、その場所が山手線の鶯谷か日暮里かのどちらかだという記憶があるから、四歳くらいか。私の作品には、夕焼けとか落日がいろいろな形でしばしば登場することは、よく指摘される。このときの体験が根元にあるのか、と考えたが、それは違うことがすぐ分った。茫然としたために肛門が弛《ゆる》んだわけで、その根はさらに深く、体験には求められないことなのかもしれない。

これが仮に四歳の記憶とすると、出京《しゅっきょう》はもっと前になる。昔のそういう事柄を親にたずねるのは億劫なので、何年も前から気になりながら、そのままになっていた。今度、電話で母親にたずねてみると、父母は大正十三年末、つまり零歳の私を岡山に残して出京し、まず中野に住んだそうだ。十四年の一年間は、母親だけ美容師の技術を習得するために、丸ビル界隈に住み込んでいた。そのころ、叔父（父親の弟）に連れられて、私は何度もその場所に遊びに行ったそうで、そういわれると朧《おぼろ》げな記憶がある。しかし、それは具体的な形を取っていないので、一歳の記憶は残っていないと考えたほうがよい。

昭和元年は数日間しかなかったから、ここは大正十五年に繰り入れて、昭和二年につづくことになる。同年三月、母親は肋膜炎になって四十日間の入院生活を送るが、この期間に見舞いにつれて行かれたときの記憶が残っている。

連れていった女性が、私の横腹のところで、ねじを巻くように手をぐるぐる動かす。昔のゼンマイ式蓄音機は、まずそういう形でねじを巻いてから、動かしたものだ。そうすると、私は蓄音機とレコードに変化して、大きな声で歌をうたう。幼稚園に入ってから以降、三十五年くらいは鼻歌さえうたわなかったことと思い比べると、信じられない気分だが、その情景は覚えている。

二歳と三歳の境目に当るわけで、そのころは代々木上原に住んでいた。一年半ほどここに住み、渋谷の池尻に引越し、半年ほどで麹町の現在の日本テレビの近くに移った。渋谷の四歳のころの記憶は、鮮明にたくさん残っている。

二百メートルほどの近くの電信柱に雷が落ちたこととか、肩のところが痛くて一日寝ていると、祖母が怒って、

「ぐずぐずしているんじゃないんだよ、さあ、お風呂（銭湯のこと）へ行きましょう」

と、私の痛い腕のほうの手首を摑《つか》んで、引張り起した。その瞬間にガチッという音がして腕の痛さが消えた。それまでは関節がはずれていたわけで、スパルタ式といえば聞えはいいが、どうもこの祖母（死ぬまで、祖父と別居していた）はヒステリー気味であったようだ。

母親の記憶によれば、私は毎日裏木戸のところを出たり入ったりばかりしていたそうだ。木戸を出てどこかへ行くわけではなく、木戸を出てみたり入ってみたりという意味で、そういうことは自分では覚えていないが、その情景は孤児の振舞いのようで物悲しい。

代々木上原のころの三歳の記憶も、いくつかあるが、渋谷にくらべてはるかに少い。

「さあやん」という精神薄弱の乞食がときどき現れて、めしを食わせろ、と言う。茶碗に飯を盛って出すと、とめどなくおかわりをするので、家の者が、「さあやん、だんだん（もうそのくらいでストップ、という意味の方言らしい）」と言うのを覚えている。

この場所で最も印象が強いのは、風景についてであることも、考えさせられる。駅を降りて丘を昇ってゆくと、そこに家があった。家の外へ出て眺めると、低いところに雑草の茂った原っぱがある。ここで、最も印象に残っているのは、夕方の原っぱの眺めなのだが、そこには夕焼けはない。当然、夕焼け空を背景にした野原を見ているに違いないが、それは脱落していて、記憶に出てくるのは、鈍《にぶ》い白い光が垂れ下るように漂っている下に拡がっている野原である。

その光におおわれた原っぱは、これまで何度となく私の頭の中に出てきていた。しかし、私がある時期に作品の中で好んで使った「石膏色《せっこう》」という単語に、その色がつながりがあるかもしれない、と気付いたのは、最近のことである。この白い夕方と私を茫然とさせ脱糞させた赤い夕暮は、いったい何なのだろう。

美しい便の幻想

［日記形式の短編小説］

過酸化マンガン水の夢

谷崎潤一郎

〝その紅い溶液の中に浮遊している糞便も
決して醜悪な感じがしない。
時としてその糞便のかたまりが
他の物体の形状を思い起させ、
人間の顔に見えたりもする。〟

うんこと言えば、汚いものというのが普通のとらえ方です。それを美しいものととらえる感性に、私はこの谷崎の作品で初めて出会いました。

といっても、スカトロ（糞尿愛好症）とはちがいます。文字通りに美しいと感じ、女優の顔を思い浮かべたり、源氏物語の一節が浮かんできたり……。びっくりしました。

ちなみに、赤いドラゴンフルーツを食べると、この谷崎のような体験ができます。

谷崎潤一郎（たにざき・じゅんいちろう）
1886－1965　小説家。東京・日本橋生まれ。東京帝大国文科中退。在学中より創作を始め、同人誌「新思潮」（第二次）創刊。『刺青』などを発表し永井荷風に激賞される。耽美派、悪魔主義の作家と評される。関東大震災を機に関西へ移住。『源氏物語』を３度、現代語訳する。戦中、軍部の圧力により連載中止となった『細雪』を密かに書き続ける。『鍵』『瘋癲老人日記』など晩年まで名作を生み出した。ノーベル文学賞の最終候補者にもなっていた。

八月八日朝いでゆ*にて上京。予《よ》**、家人、珠子さん、フジの四人なり。七月中は近年稀《まれ》なる炎暑つづきのところ本日四日夜おそく久し振《ぶり》に降雨を見、華氏にて九度程低下大《おお》いに凌《しの》ぎよくなったので、もう大丈夫と思ったのに今朝は又暑さブリ返したり。昨夜既《すで》にいでゆの切符を買って置いたので暑熱を冒《おか》し出かける。十時二十七分新橋下車直《ただ》ちに虎の門長谷川に至り一先《ひとま》ず休憩。予は過去二三年来夏の盛りにはなるべく東京へ出ないようにしていたのが、今年になってから高血圧漸次《ぜんじ》快方に向い先月も一度上京、今度で二度目なり。昔の夏の東京は大阪京都に比べて多少涼しい筈《はず》であったが、今日はそうでもなし。新橋より電車通りを虎の門に赴《おもむ》く間何回となく自動車が停止する毎《ごと》に車内の熱気堪《た》え難し。小憩《しょうけい》の後《のち》家人と珠子さんとフジとは買い物旁々《かたがた》銀座ケテルにて昼の食事をしたためるとて外出、一時半には戻るとの約束なり。予は丸の内日活に

*列車名。

**小説ではあるが、ほぼ谷崎潤一郎自身のこと。「家人」は妻の松子、「珠子」は松子の妹の重子、フジは女中のこと。

「*青い大陸」の後半を見て宿に帰りトーストパンを一片オレンジジュースを一罎《びん》飲んで日課の昼寝に入る。しかし茹《う》だるような熱気に加え此《こ》の旅館は目下増築中のため工事の音響喧《やかま》しきこと限りなし。此の旅館と道路を一つ隔《へだ》てた向う側にも数階のビルディング建築中なり。コンクリートを流し込む音鉄筋を打ち込む音しきりなしに耳を聾《ろう》す。共済会館と元満鉄ビルとが近き故《ゆえ》にや前を通る自動車オートバイ等の地響きと騒音も相当なものなり。已《や》むを得ず用心のために持参した久しく用いたことのなかった睡眠剤を少量服す。三四十分トロトロとする。

今度の上京の主たる目的は、悦子**の結婚用の衣裳や簞笥《たんす》等を京都の家と熱海の家と東京の親戚とにバラバラに保管して置いたのを、全部取り纏《まと》めてKR会社の京橋倉庫に委託《いたく》することになり、他の家財道具類もそれと一緒に少しは運び込んだので、明朝整理のため該《がい》倉庫に赴《おもむ》くのであって、今日一日はさしたる用事もない。家人と珠子さんはかねてよりストリップショウと云《い》うものを見せてほしいと云っており、本日午後予を促《うなが》して日劇小劇場ミュウジックホールへ行くことにきめている様子なり。これは去年あたりから、女だけでは這入《はい》りにくいから一度連れて行けと頻《しき》りに促していたのだが、此《こ》の春河原町の京劇で「裸の女神」(原名Ah! Les Belles Bacchantes!)と云うパリで評判のバレスクの映画を見てから、急に日本のミュウジックホールの実演が見たくなったものと察せられる。予は女の観客は稀《まれ》にパンパン***が外人同伴で来ている程度で、夫人令嬢はめったに見かけたことがないからまあ止《よ》したほうが宜《よろ》しからん、たって行きたいなら誰か他の人と行くがよし、一家の主人が妻や妻の妹を案内することは余りよい趣味ではないと思うと云って、今日まで自分一人では行くけれども家族との同行は御免蒙《ごめんこうむ》っていた次第。然《しか》るに先月北白川の美津子（珠子嫁）が今年ばかりは京都の炎熱に閉口して美袁利《みおり》同伴伊豆山へ避暑に来、或る日美袁利を珠子さんに預けて東京へ出かけたついでに勇敢にも小劇場を見に這入り、東郷青児、村松梢風《しょうふう》、三島由紀夫と云《い》ったところが作者陣に名を連ねている「恋には七つの鍵がある」を見て帰ってから、ストリップとは云うけれども踊り児たちが案外可愛らしい女ぞろいでそんなにイヤらしいものではないこと、女性の観客も数人はいたこと、ジプシーローズと云う娘が殊《こと》にきれいであったことなどを語り「あれなら伯母《おば》さんやお母さんが見にいらしってもおかしいことはないわ」と焚《た》きつけたので、「それ御覧なさい、あたしたち

＊一九五五年七月十二日に公開された、紅海を探索したドキュメンタリー映画。当時はまだ珍しかった深海の映像の美しさが、世界的に注目を集めた。

＊＊松子の娘の恵美子のこと（前の夫の根津清太郎との子どもで、谷崎の養女となった）。『細雪』にも悦子という名前で出ている。

＊＊＊敗戦後の日本で、米兵を主な相手として売春を行なった街娼。

だって連れてって頂戴《ちょうだい》よ」と、遂《つい》に今日の仕儀《しぎ》となりたり。

約束通り家人等午後一時過帰宿。直ぐ又四人で出かける。日劇前で「君は何処《どこ》か好きな所へ映画でも見に行っておいで」とフジを捌《さば》き、三人にて小劇場指定席の一番後列のなるべく目につかぬ座席を買う。出し物は美津子の時とは既に変り構成演出並びに脚本丸尾《まるお》長顕《ちょうけん》「誘惑の愉《たの》しみ」全二十景、Aqua-girl's bottom-up mambo などとプログラムにあり。入場後十五分程にて開演となる。予等の前方の席は外人ばかりなれども満員とは行かず先《ま》ずは六七分の入りなり。日本人は全部普通席にて此の方も七八分の入り。開演後もポツポツ入場する者あり、指定席にもアメリカ人らしき男女の客入り来《きた》り予等と同じ列に席を占《し》む。つづいてGIが二三人パンパンを連れて予等の直ぐ前列に居並ぶ。見渡すところそのアメリカ婦人とパンパン嬢を除いては家人と珠子さん以外指定席にも普通席にも婦人客は一人もおらぬようなり。恐らく和装の中年以後の婦人の姿を二人迄《まで》も見ることは珍しき出来事なるべし。一体ここの小劇場は日劇の頂辺《てっぺん》までエレベーターで上り、そこから又《また》もう一階歩いて昇らねばならない所にあって、天井の低い、屋根裏のような窮屈《きゅうくつ》な小屋なので何となく息苦しい感があり、同じミュウジックホールでも大阪のOSKの方が居心地よし。冷房はしてあるけれども十分には利かぬようにて、場内に這入《はい》った瞬間ちょっとヒヤリとしただけで席につくと間もなく蒸し暑さを感じ絶えず扇《おうぎ》を使う。第一景マンボくらべより第二十景グランフィナーレまで時間にして二時間たっぷり数々のヌードの艶冶《えんや》なる姿態の千変万様が乱雑に記憶に存するのみで、第何景に何と云《い》う娘がどんな役を演じたのか何も頭に残っていない。こう云うものは見たら直ぐに忘れてしまって何も残らない方がよいのであろう。家人は途中から居眠りをし出し「やっぱり『裸の女神』の方がよかったわ、フランスのヌードには敵《かな》わないわね」と小声で不平らしく云い「それでも踊り児は綺麗だけれど男優が案外大勢出るのが面白くないわ」と云う。これは予も同感にて今回の出し物は特に男のする役が多過ぎるように思う。美津子が推賞《すいしょう》のジプシーローズはこのプリマドンナらしいけれどもやや老けていて体に脂肪があり過ぎるのと、混血児らしい容貌なのとが予の趣味《み》に合わず、家人も珠子さんも此《こ》の点同感の由《よし》なり。春川ますみと云う娘に予は最も魅せられたり。(このこと家人には語らず心中ひとり左様に思いしのみ)他の場面は皆忘れ去ったが第十六景に「裏窓」と云う場あり。ホテルの一室に投宿したる老人の客、ふと向う側の窓を覗《のぞ》くと、妙齢の美女入浴中にて体の彼方此方《あちらこちら》を洗うにつれて胸、腰、背、脚、足の先から足の蹠《うら》まで見えるので悦に入っ

*ダンサーから女優に転身。多数の映画やテレビドラマで活躍。谷崎潤一郎はのちに春川ますみと対談をしていて、『谷崎潤一郎対談集　藝能編』(中央公論新社)に収録されている。

ていると、やがて彼女の旦那と見えて禿《は》げ頭の男が同じ浴室に姿を現わし何か甘ったるい言葉をかける、ホテルの客途端《とたん》にガッカリして眼を廻《まわ》すと云う寸劇《すんげき》で、入浴中の美女は春川ますみなり。昨今日本にもかように胸部と臀部と脚部の発達した肉体は珍しくないが、予は総じて猫のような感じのする顔、往年のシモーン・シモン式の顔の持主にあらざれば左程《さほど》愛着を感ぜざるなり。

夕刻再び長谷川に戻って小憩《しょうけい》。田村町の某《なにがし》と云《い》う中華料理店に夕食をたべに行く。高血圧以来中華料理は兎角《とかく》過食する恐れがあるので久しくたべたことがなく先月の陶々亭が病後初めてにて今回が二度目なり。麻油《マーユ》と醬油に漬けた海月《くらげ》、椎茸《しいたけ》、白鶏《バイチー》、鮑《あわび》、トマト、胡瓜《きゅうり》等々を一皿に盛った前菜、蝦《えび》の巻揚げ、芙蓉魚翅《フーヨンイーツー》と云う鱶《ふか》の鰭《ひれ》に卵の白身のスープ、胡桃《くるみ》と鶏のたたきの煮付、豆腐と鶏肉のどろどろ煮、杏仁湯《きょうにんとう》と棗《なつめ》の餡《あん》の這《は》入《い》った八宝飯《はっぽうはん》、最後に口が曲るように辛い支那の漬物とお茶づけ御飯。予は此《こ》の支那の漬物が昔は大好物であったが、血圧症には禁忌《きんき》なるを以《もっ》て手をつけず。父が九州の炭坑に勤めているフジは、福岡辺でもこれとよく似た漬物を食う由《よし》にて、田舎を思い出して懐かしいと云い頻《しき》りにこれを貪《むさぼ》り食う。食後予は真っ直ぐ長谷川に戻り家人と珠子さんは銀座を一と廻《まわ》りして来る。フジは赤坂の親戚の家に預《あず》ける。

九日朝九時頃フジが長谷川に来るのを待ち受け家人等三人は倉庫へ荷物の整理に行く。

予は午前中在宿、東洋公論社その他一二の出版書肆《しゅっぱんしょし》の来訪を乞《こ》うて用談を済《す》ませ正午少し前日比谷映画劇場に問題の映画「悪魔のような女」*を見に行く。熱海にも映画館は四軒あるのだが外国物の余り一般向きでないのはめったに来らず、それに冷房や煖房《だんぼう》の装置がないので真夏と真冬は到底老人は入場するに堪《た》えられない。たまに上京する機会を待って、――と云うよりも、予に関するかぎりむしろ演劇や映画見物を主たる目的として上京することしばしばなり。「悪魔のような女」(原名 Les Diaboliques) は嘗《かっ》ての「恐怖の報酬」**の製作者でスリラー物を得意とするアンリ・ジョルジュ・クルウヅオの脚色監督したもの。最後の瞬間まで犯人が誰であるか分らないように出来ており、此《こ》の映画を御覧になった方々はこれから御覧になる方々の興味を殺《そ》がないために筋《すじ》を人に語らないで戴《いただ》きたい、と云う断り書が冒頭に現われる。大体の事柄は、巴里《パリ》郊外でドラサール学園と云う私立小学校を経営している校長ミシェルと、その妻でその学校の所有者であり女教師でもあるクリスチナと、同じ学校の

*一九五五年七月一九日に公開されたフランスのミステリー映画。ヒッチコック監督が『サイコ』(一九六〇年)を撮ったのは、この映画の影響とも言われる。

**一九五四年七月二五日公開のフランスのサスペンス映画。一攫千金を夢見て命を賭ける四人の男たちを描いている。カンヌ国際映画祭グランプリほか多数受賞。

もう一人の女教師で且《かつ》校長の情婦であるニコルと、三人を中心とする物語で、校長ミシェルにはポール・ムーリッス、妻のクリスチナには監督クルウヴゾオの夫人ヴェラ・クルウヴゾオ、情婦の女教師ニコルにはシモーン・シニョレが扮《ふん》している。妻のクリスチナは南米生れの物持ちで学園に資金を投じているが、心臓病を患《わずら》っていて気が弱く、残酷な暴君である夫ミシェルの云《い》うなり次第になっている。彼女は剰《あまつさ》え同僚ニコルに夫を寝取られており、もうそのことは彼女は勿論《もちろん》学校中教師も生徒も誰知らぬ者もない。ミシェルは妻よりも情婦の女教師の方に傾いているらしいけれども、さればと云ってそんなに彼女を可愛がる風でもなく、乱暴に取り扱うことは妻に対する時と大した変りはない。妻クリスチナは夫の悪虐《あくぎゃく》に堪《た》えかねていた折柄《おりから》、いっそ二人であの男を殺してしまおうではないかと云う相談を情婦ニコルから持ちかけられ、最初は身ぶるいしていたが結局ずるずるに引き込まれる。

三日つづきの休暇の日にニコルはクリスチナを誘い、学校の荷物運搬用の自動車に人間が這入《はい》れるくらいな大型のバスケットを積んで、ニオールと云う田舎町にある彼女の家に泊りに行く。そしてそこからミシェルを電話に呼び出して離婚を請求するようにクリスチナに云《い》いつける。ミシェルは金主《きんしゅ》のクリスチナと離婚する意志はないので、思いとどまらせるためにニオールへ飛んで来る。ニコルは此《こ》の機会を逸《のが》してはならぬと云い、ウイスキーに強烈な睡眠剤の点滴を混入したものをクリスチナに与え、躊躇《ちゅうちょ》する彼女を怒り励まして夫に飲ませる。二人の女は昏睡したミシェルを抱きかかえて浴室に運び、水を張った浴槽の中に沈めて、ニコルが男の首を水中に抑えつけて窒息させる。そして屍体《したい》をバスケットに詰めて自動車に入れ、夜を徹して学園に帰り、校庭のプールに投げ込んでしまう。誰も気づいた者はなく計画通りに事が運んだので、ミシェルは酔っぱらって水に落ちたものとして、やがてプールに屍骸《しがい》が浮かび上るべきであったが、夜が明けても浮かんで来ない。奇怪なことがそれから次々に起って来る。

クリスチナは故意に己《おの》れの部屋の鍵をプールに落し、学童に命じて水中を探らせる。水に潜った学童は鍵を手にして出て来るが、その鍵はクリスチナの鍵ではなく、ミシェルの部屋の鍵である。クリスチナは門番の男にプールの水を一滴も残さず乾《ほ》させて見るが、屍骸はいつの間に何処《どこ》へ行ったのか影も形もない。二三日すると洗濯屋から見覚えのある背広服が届けられる。それはあの夜ミシェルが着ていた背広である。教師と生徒が校舎の前に集って記念撮影をし、それを現像させて見ると、うしろの窓ガラスに校長の顔がぼんやり写っている。生徒の一人が、窓ガラスを破《こわ》したのを校長さんに見付けられて叱《しか》られたと云《い》って来る。深夜ミシェルらしい人の足音が聞えたり校長室でタイプライターを叩く音がしたりする。心臓の悪いクリスチナは日夜恐怖に苛《さいな》まれて半病人になって行く。最後に、一夜彼女は浴室の浴槽にあの夜の通りの状態で水に漬《つ》かっているミシェルの幻影？――を発見する。ミシェルが満身にびっしょり水をしたたらしつつ浴槽から立ち上る瞬間、キャーッと云う叫び声を放って急激に体を「く」の字に折り曲げ、横倒しに扉に靠《もた》れ眼を吊《つ》り上げてクリスチナが悶絶する。と、彼女と仲違いをしていたニコルが忽《たちま》ち何処《いずこ》からか現われてミシェルに抱き着き接吻《せっぷん》する。「心臓病だと云《い》いながらしぶとい奴だった。案外骨を折らせやがった」とミシェルが云う。そこへかねてから不審に感じていた私立探偵の男が這入《はい》って来て二人を逮捕し、「十五年か二十年の刑を受ければ出られるだろう」と云って引き立てて行く。クリスチナが悶絶し、ミシェルとニコルが抱擁《ほうよう》するところでドンデン返しになるのであるが、観客はその数分前ぐらい迄《まで》はどう云う結末になるのかとワクワクさせられる。が、見終ってから考えると、此《こ》の映画はあまりに観客のスリル本位に作られていて、多くの不自然があることに気がつく。何より校長と情婦とがそんなヤヤこしい手数のかかる方法で細君を謀殺《ぼうさつ》し、それが発覚しないで済《す》むと思っていたのが可笑《おか》しい。それならいっそ最後まで発覚しなかったことにした方が、まだ芝居になりそうである。探偵が校長と情婦の奸計《かんけい》直ぐに露顕《ろけん》して捕えられてしまうのでは余り馬鹿々々しい。

を嗅《か》ぎ付けるに至る径路《けいろ》もはっきりしない。妻は心臓病患者であったとしても、彼女をショック死させるために水槽に漬《つ》かって殺された真似《まね》をしたり、死んだ振りをして何時間もバスケットで揺られて行ったり、プールに投げ込まれたりして、それが首尾よく(此《こ》の場合のように)成功すればよいが、註文《ちゅうもん》通り行かない場合も有り得ることなり。妻をショック死させる前に謀略がバレることもあろうし、ショックを起しても死ぬ迄《まで》には至らぬこともあろう。さような危険率を計算に入れずにそんな手数のかかる仕事に耽《ふけ》るであろうか。プールに投げ込まれてから再び妻の前に幻影となって現われるまで何処《どこ》に隠れていたのかも明瞭でない。要するにこれは見物人を一時脅《おび》やかすだけの映画にて、おどかしの種が分ってしまえば浅はかな拵《こしら》え物であるに過ぎない。しかし此の絵が評判になり多くの映画ファンの好評を博したのは、しまいには一杯食わされることになるけれども、観客をそこまで引き擦《ず》って行く手順の巧妙さと俳優の演技に依《よ》る。或る雑誌には「恐怖満点のスリラー映画」、「本当にぞっとする映画」、「気の弱い女性は男性の連れでもなければ帰りの夜道が恐いような映画」などと書いてある。予は先月「女優ナナ」*の時に此の予告篇を見、ニコルに扮《ふん》するシモーン・シニョ

＊一九五五年六月一八日公開のフランス映画。エミール・ゾラの小説『嘆きのテレーズ』が原作。マルティーヌ・キャロル、シャルル・ボワイエなどが出演。

レの異常に残忍な感じのする風貌《ふうぼう》に惹《ひ》かれたが、「悪魔のような女」と云《い》う日本訳の題名も、あの風貌にはよく当て篏《は》まる。大柄で薄汚れのしたような顔、濁《にご》った疲れたような皮膚、冷酷で、豪胆で、いかにも腹黒そうな女、——ああ云うタイプを主役に持って来なければあの絵が狙う凄味《すごみ》は出せない。あの女なら情夫の頭を両手で摑《つか》んで水槽に押し込むことくらい出来そうに思える。クリスチナのヴェラ・クルウゾオも人柄が適してい、夫や情婦に圧迫されている病弱な妻女と云う様子が見えるが、此《こ》の女のしどころは心臓麻痺でショック死を遂げる刹那《せつな》の動作と表情にあり。予は西洋の女のかような死にざまを、実際は勿論《もちろん》映画の上でも見るのは始めてなり。悶絶した彼女はポキンと二つに折れ屈《かが》まって横さまになるが、背後に扉が締まっているので、それにズルズルと体を擦《こす》りつけながら倒れる。そのために観客の方へもっとも死に顔が見えるような姿勢で死ぬ。それは咄嗟《とっさ》に息の根を止められた大きな昆虫の屍骸《しがい》のように印象的。彼女の眼は、情婦ニコルの毒を含んだギラギラ光る眼と対照的に、常に虐《しいた》げられている女の物に怯《おび》えた細い弱々しい眼であるが、突然それが一杯に白眼を剝《む》き出し、黒眼を右の角に吊り上げたまま動かなくなる。ミシェルが「してやったり」とばかりに悠々《ゆうゆう》と水槽から歩み出て、屍骸の傍《かたわら》に寄って死相を眺《なが》め、腕を摑《つか》んで見て放し、「やれやれ」と云った顔つきをする。此の映画中で一番悪魔的な凄さを感じさせる場面は、ニコルがミシェルを浴槽の中へ押し込むところと、此のクリスチナのショック死のところと、此の時浴槽から立ち上ったミシェルが、妻を脅《おど》かすために嵌《は》めていた偽眼《ぎがん》を取り外すところである。偽眼は実物の眼球の上にぴったり張り付くように作られた、薄い凸面レンズのようなものなり。ミシェルは死に顔を一層恐く見せるためにこれを嵌めて死んだ振りをしていた訳なり。彼が両手を眼の中にさし込んでその偽眼を取り出した時は予も覚えずギョッとさせられたが、予の隣席にありし婦人は微《かす》かに「あッ」と云いて顔を蔽《おお》いたり。

午後二時頃退場。街上の熱気は昨日に劣らず。予は先刻暑さに堪《た》えかね場内にてソフトアイスクリームを喫《きっ》せしが、再び渇《かつ》を催《もよお》すこと甚《はなは》だし。且《かつ》長谷川にて朝食を取っただけなので漸《ようや》く空腹を覚えつつあり。依《よ》って向う側の三信ビル地階に入りもう一度ソフトアイスクリームを喫し、ケーキ二個を食べ、タキシーを拾いて長谷川に帰る。聞けば家人等三人も倉庫の用事を早く片附けて日比谷映画劇場に至り、ついさっきまであの絵を見ていたのだが、今朝予と約束した時間に遅れることを懸念《けねん》し、中途で退場して四五十分前に戻って来たところなりと云《い》う。それでは予と同時刻に場内にありし訳なり。いったい家人は彼女自身が心臓が弱いと医者に云われてい、平素ショックを受けることを恐れていたので、此の映画は見たくもあるし恐くもあるし、どうしたものかと先日来躊躇《ちゅうちょ》していたのだが、そのうち追《お》い追い見て来た人の話などを聞いて筋をしっかり知ってしまい、「もう恐くなくなったから私も見に行く」と云っていたのであった。が、中途で退場したところを見ると、矢張《やはり》幾分ショックを恐れる気持があったのかと察せられる。予が、前半よりも後半の方が凄かったこと、クリスチナの死ぬところとミシェルが偽眼をはずすところがちょっと薄気味悪かったことを語りしに、「それなら見ないでよかったわ」とのことなりき。

それより一二時間休憩、五時長谷川を辞し、銀座の小松ストーア等々に立ち寄り八重洲口に至り、大丸地階辻留《つじとめ》にて夕食を取る。此の辻留の京料理も予等を東京に惹《ひ》き着ける魅力の一つなり。殊《こと》に本年は東京方面に用事ありていつ頃京都へ帰り得るか今のところ予定立たず、そのためひとしお関西料理に憧れつつあり。分けても目下《もっか》食べたいのは鮎《あゆ》と鱧《はも》なり。熱海の夏は鰹《かつお》と鮪《まぐろ》には不自由しないが、鮎は早川と狩野《かの》川のものにて、到底保津峡《ほづきょう》の鮎のような訳には行かず、鱧も近頃は伊豆山方面にて手に入ることがあり、たまに買っては見るけれども、味も骨切りも悪く、あとで一層関西の鱧が恋しくなるばかりなり。家人は鰹は生臭《なまぐさ》いと云って口にしたがらず、せめて近々東京へ出て辻留の牡丹鱧《ぼたんはも》をたべたいと此《こ》の間より云い暮らしていたのであった。牡丹鱧とは鱧の肉を葛《くず》にて煮、それに椎茸《しいたけ》と青い物を浮かした辻留得意の吸物碗にて、日本料理の澄《す》まし汁としては相当濃厚で芳潤な感じのものなり。今夜の辻留の献立は、ふくこ（鱸《すずき》の子）の洗い、ささ掻《が》き牛蒡《ごぼう》と泥鰌《どじょう》の赤だし、茄子《なす》と豇豆《ささげ》の胡麻《ごま》あえと鰯《いわし》の生薑《しょうが》煮と梅干の小皿、小芋を揚げたのと鶏のじく煮と粟麩《あわぶ》の小皿、素麺《そうめん》の小皿、飯を円く型で打ち出したものに奈良漬と生薑《しょうが》を添えた小皿、鱧のつけ焼と待望の牡丹鱧、なおその外に京より取り寄せた鮎の大きいのがありますからとてその塩焼に蓼酢《たです》を出したが、これは全く予期しなかった珍味であった。食後に大阪鶴屋八幡の葛餅《くずもち》があったが、さすがに腹が一杯で手が出ず。いつも日本料理だとつい安心して食い過ぎるのであるが、これだけ食べると洋食や支那料理以上にカロリーを取ったように思われ、血圧が上りはしなかったかと心配になる。食後直ちに乗車口に駆けつけ午後八時過ぎの電車に乗る。何か事故があった様子にて二十一分発のところが数分遅れて発車。今時分の二等車は空いている筈《はず》なのに今夜は大船辺に至るまで満員にて人いきれのため一倍蒸し暑し。十一時近く熱海に着。帰宅するや否《いな》や一浴して浴衣《ゆかた》に着かえ、庭の芝生を蹈《ふ》んでデッキチェーアに凭《よ》りつつ伊豆半島の夜景を望む。下弦の月空にかかりて伊豆山、熱海、網代《あじろ》、川奈の燈火点々たり。昨日と今日の東京の暑かったことを思えば何と云《い》っても此《こ》の丘の上の草廬《そうろ》は別天地なり。

就寝後、午前二三時頃かと覚ゆ、家人の呻《うめ》き声に眼を覚まし慌《あわ》てて彼女を揺り起す。

二三回強く揺り動かして辛《かろ》うじて眼を覚まさせる。近頃家人が悪夢に魘《うな》され夜中に息が詰まると云い出して俄然《がぜん》恐ろしき呻き声を発することしばしばなり。或《あるい》はその原因は寝台のスプリングの凹《へこ》み工合が悪く、胸の辺が妙に落ち込むようになるため心臓を圧迫される故《ゆえ》にやあらん。同じ構造の寝台を用いながら予には左様なことなきは矢張《やはり》家人の心臓に欠陥があるせいであろうか。兎《と》も角《かく》も近々に家具屋を招いてスプリングの加減を見て貰《もら》うつもりであるが、夫婦の寝台の間には小さきナイトテーブルがあるため、大急ぎで彼女を揺り起そうとしても咄嗟には手が届かず、此方の寝台から向うの寝台まで起きて歩いて行くこともあり、そんな騒ぎのために此方もすっかり眼を覚まされて眠れなくなってしまうこともある。家人の話では魘《うな》される時の気持は何とも云《い》えず、二三分間は全く呼吸困難に陥《おちい》り、いくら息をしようとしても息が出来ず、そのままになってしまいそうな気がするとのことにて、それきり再び寝ようとせず、上半身を起したまま枕元の書物をひろげて払暁《ふつぎよう》に及ぶことが珍しくない。まして今夜は二日つづけて中華料理や辻留の御馳走をたべたあとなので、それでなくても心臓の負担が過重になっていたせいであろう。予も先刻の呻《うな》り声に安眠を破られてからは巧い工合に眠り得ず、寝苦しさを覚えて輾転反側《てんてんはんそく》す。予は元来寝つきのよい方にて、夜中に用事のため眼を覚ましても用を済《す》ませば直ぐ又《また》眠ることが出来るのであるが、今夜は矢張《やはり》御馳走の食い過ぎにて腹が非常に張っている様子なり。ふと心づけば久しく起らなかった脈搏《みゃくはく》の結滞《＊けったい》が起りつつあり。結滞は三度目に一度ずつ規則的に生じ、その度毎《たびごと》に何処《どこ》かの動脈がピクリピクリとする。別に苦痛は伴《ともな》わないが、何か心臓に異状のあることが察せられ余り気持のよいものではない。そのピクリピクリとする感覚はきまって動脈の何処《どこ》か知らに、或《あ》る時は胸部上方の肩に近いところ、或る時はもっと腋《わき》の下の方に寄ったところ、或る時は左の乳の右側もしくは右の乳の左側に感じるのであるが、今夜は胃の真上の鳩尾《みぞおち》の辺《あたり》に感じられる。結滞は過食する時に起り易《やす》いからと、かねてより医師の忠告を受けていたのだが、鳩尾の辺にそれが感じられるのは此《こ》の二日間の鮎《あゆ》や牡丹鱧《ぼたんはも》や八宝飯《はっぽうはん》や芙蓉魚翅《フーヨンイーツー》の祟《たた》りであること云《い》う迄《まで》もなし。こう云う時は睡眠剤を服して意識をぼんやりさせ不安を紛れさせるに如《し》かずと、今夜もラボナ一錠とアダリン二錠を飲み漸次《ぜんじ》半醒半睡《はんせいはんすい》の境《きょう》に入る。予はこんな工合に眠っているのか覚めているのか自分でもよく分らない朦朧《もうろう》とした状態にあることを楽しむ癖がある。最初は半ば意識しながらさまざまな幻想が泡のように結ぼれては消えるのを楽しんでいるうちに、いつしかそれが本当の夢につながって

＊脈のリズムが乱れ、脈がとぶ、不整脈の状態のこと。

行く。ああ、これから夢になるんだなと云《い》う半意識状態のままで夢を見ている。フロイドの「夢判断」などにはどんな風に説明してあるか、又《また》一般の人はどうであるか知らないが、予は或《あ》る程度までは自分で自分の夢を予覚し、時には支配することさえも出来るような気がする。そう云う気がする時は実はその全体が夢なので、覚めて見れば夢の中で又夢を見ていたのである、と云う人もあろうけれども、予は一概にそうは思わない。………予は胃袋が充満して腹部がひどく圧迫されつつあるのを感じ、彼方《あちら》へ寝返り此方《こちら》へ寝返りして睡眠剤が早く利《き》いて来るようにと願いながら、昨夜の牡丹《ぼたん》鱧《はも》のことを考えていた。鱧の真っ白な肉とその肉を包んでいた透明なぬるぬるした半流動体。それがまだその姿のままで胃袋の中で暴れているように思う。鱧の真っ白な肉から、浴槽の中で体じゅうの彼方此方《あちらこちら》を洗っていた春川ますみの連想が浮かぶ。葛《くず》の餡《あん》かけ、………、ぬるぬるした半流動体に包まれていたのは鱧ではなくて春川ますみ、………いや、いつの間にかドラサール学園の校長ミシェルが浴槽にいる。シモーン・シニョレの情婦がミシェルを水中に押し込んでいる。ミシェルはもう死んでいる。濡れた髪の毛がぺったりと額から眼の上に蔽《おお》いかぶさり、その毛の間から吊《つ》り上った大きな死人の眼球が見える。

その時もう一つ奇怪な幻想が這入《はい》って来た。予の書斎には予の専用の水洗式の洋式便所があり、予は毎朝そこで用を足しながら不思議なことを考えるのだが、それが浮かんで来たのである。いったい予がこう云《い》う洋式便所を設けるに至ったのは、大阪国立病院の布施博士の意見に依《よ》るもので、高血圧症の人は成るべく日本式の蹲踞《うずくま》る便所を避ける方がよい、老人はしゃがんで力《りき》む時に脳溢血《いっけつ》を起し易《やす》い、と云う警告に基づいて腰掛け式便所を作ったのであるが、自分の排泄物を自分の眼で検査するには此《こ》の式のものが最も便利である。日本式水洗ではあまり露骨で見るに堪《た》えないが、洋式のものは水中に沈んでいるのでアルコール漬《づけ》の摘出物を見るように冷静に観察し得る。胃潰瘍の血便や子宮癌の出血などは早期に発見することが出来る。予も此の間、便通の度毎《たびごと》に水が真紅に染まるのに心づき、さては胃潰瘍ではないのかと不安の数日を送ったことがあったが、それは朝食にレッドビーツ（サラダ用火焔菜《かえんさい》）を好んで食べるのが原因であることが分り、安心した。蓋《けだ》し胃潰瘍の血便は黒色を呈《てい》している筈《はず》だが、レッドビーツの場合は実に美しい紅色の線が排泄物からにじみ出て、周辺の水を淡《あわ》い過酸化マンガン水のように染める。予はその色が異様に綺麗なので暫時《ざんじ》見惚《ほ》れていることがある。その紅い溶液の中に浮遊している糞便《ふんべん》も決して醜悪《しゅうあく》な感じがしない。時としてその糞便のかたまりが他の物体の形状を思い起させ、人間の顔に見えたりもする。今夜はそれが、あのシモーン・シニョレの悪魔的な風貌《ふうぼう》に、……あれが紅い溶液の中から予を睨《にら》んでいる。予は水を流し去ることを躊躇《ちゅうちょ》してじっとその顔を視《み》つめる。………と、その顔が粘土が崩《くず》れ出したように歪《ゆが》み、曲りくねって又《また》一つに固まり、ギリシャ彫刻の*トルソーのようになる。**史記呂后本紀《しきりよこうほんき》に云《い》う、「太后《タイコウ》遂ニ ***戚《セキ》夫人ノ手足ヲ断チ、眼ヲ去リ耳ヲ煇《フス》ベ、瘖薬《インヤク》ヲ飲マシメテ厠中《シチユウ》ニ居ラシメ、命《ナツ》ケテ人彘《ジンテイ》ト曰《ノタマ》ウ」と。予はシモーン・シニョレの顔が変じて人彘になっているのを見る。……

予の脳裡《のうり》に人彘のことが如何《いか》にして浮かんだのであろうか。潤一郎新訳源氏物語賢木《さかき》の巻一五〇頁の本文に「戚夫人のような憂《う》き目には遭《あ》わないまでも」の句があり、その頭注に「漢高祖《こうそ》の夫人。高祖の崩後《ほうご》呂后に妬《ねた》まれて手足を断たれ、眼を抜かれて厠《かわや》の中に置かれた」とあるが、予は何かの機会にこれを種材にして見たいと思っていたのが、たまたま水洗便所の幻想と一緒になったのであろうか。「****呂太后《リヨタイコウ》ハ高祖ノ微ナリシ時ノ妃ナリ。孝恵帝、女魯元太后ヲ生ム。高祖漢王トナルニ及ビテ定陶ノ戚《セキ》姫ヲ得、愛幸シ、趙《チヨウ》ノ隠王如意ヲ生ム。孝恵、人トナリ仁弱ナリ。高祖以為《オモ》エラク、我ニ類セズト。………戚姫幸セラレ、常ニ上ニ従イテ関東ニ之《ユ》キ、日夜啼泣シ、其ノ子ヲ立テテ太子ニ代ラシメント欲ス。呂后年長ジ、常ニ留守シ、上ニ見ユルコト希《マレ》ニ、益々疏《ウト》ンゼラル。………高祖、十二年四月甲辰長楽宮ニ崩ズ。………呂后、最モ戚夫人及ビ其ノ子趙王ヲ怨ム。廼《スナワ》チ永巷ヲシテ戚夫人ヲ囚エシメ、而《シカ》シテ趙王ヲ召ス。…

……孝恵帝慈仁ニシテ太后ノ怒レルヲ知リ、自ラ趙王ヲ覇上ニ迎エ、与《トモ》ニ宮ニ入リ、自ラ挟《タス》ケテ趙王ト与ニ起居飲食ス。太后之《コレ》ヲ殺サント欲スレドモ間ヲ得ズ。孝恵元年十二月、帝晨《ツト》ニ出デテ（雉《キジ》ヲ）射ル。趙王少《ワカ》クシテ蚤《ハヤ》ク起キルコト能ワズ。太后、其ノ独リ居ルヲ聞キ、人ヲシテ酖《チン》ヲ持チテ之ヲ飲マシム。孝恵帝還《カエ》ル犂《コロ》オイ趙王已《スデ》ニ死セリ。………太后、遂ニ戚夫人ノ手足ヲ断チ、………命《ナヅ》ケテ人彘《ジンテイ》ト曰《ノタマ》ウ。居ルコト数日、迺《スナワ》チ孝恵帝ヲ召シテ人彘ヲ観シム。孝恵見テ問イ、迺《スナワ》チ其ノ戚夫人ナルヲ知ル。迺《スナワ》チ大イニ哭《コク》シ、因《ヨ》ッテ病ミ、歳余起《タ》ツコト能ワズ。人ヲシテ太后ニ請ワシメテ曰ク、此レ人ノ為ス所に非ズ。臣、太后ノ子トナリ、終ニ天下ヲ治ムルコト能ワズト。孝恵此レヲ以テ日ニ飲ミ淫楽ヲナシ、政ヲ聴カズ」――史記にはこう書いてあるのだが、「国訳漢文大成」の注に「彘《てい》は豚なり、戚《せき》夫人の有様、豚の如きによりて、ヒトブタ

＊人間の胴体部分のみの彫像のこと。
＊＊『史記』は、中国前漢の武帝の時代に司馬遷によって編纂された歴史書。「呂太后本紀」は『史記』の本紀の巻九。呂太后は、漢の高祖劉邦の皇后。「中国三大悪女」のひとりとされる。
＊＊＊戚夫人は、高祖劉邦（前漢の初代皇帝）の側室で、息子（趙王）を産んだ。呂太后は、戚夫人の両手両足を切断し、目玉をくり抜き、耳に薬を入れて聞こえなくし、瘖薬（声が出なくなる薬）を飲ませてしゃべれなくし、厠に投げ落として、そこで暮らさせ、人彘（人豚）と名づけた。豚を厠で飼って人糞を食べさせる豬厠（豚便所）が中国にはあった。
＊＊＊＊（次の見開きに掲載）

と曰《のたま》う」とある。又《また》「彘は牝豕《めすぶた》、母彘のことで、人彘とは『めすのおいぶれぶた』のようになった人間」と云《い》う解もある。「眼ヲ去リ耳ヲ煇《フス》べ」は「眼球をくじり去り、薬を以《もっ》て耳を熏《くす》べて聾《ろう》ならしむる也《なり》」とあり、「瘖薬《インヤク》」は「物言うこと能《あた》わざらしむる薬」となり、「厠中《シチユウ》」は、「便所の中なり。漢書外戚伝《かんじょがいせきでん》には『鞠域中《きくいき》』に作る、鞠域は窟室《*くつしつ》なり」とある。予が過酸化マンガン水の美しい紅い溶液の中に四肢を失った人間の胴体、牝豕の肉のかたまりに似たものが浮かんでいるのを見ていると、「御覧、その水の中にいるのは人彘だよ」と云う者がある。振り返ると予の傍《かたわら》に漢の皇太后の服装をした夫人が立っている。「あッ、この人彘は戚夫人ですね」と云って予は思わず眼を蔽《おお》う。予は予の傍《そば》にいる貴夫人が呂太后であり、予自身は孝恵帝であることを知る。………ふと眼が覚めると午前四時半で障子《しょうじ》の外が薄明るくなっている。山上の**興亜観音の太鼓の音が聞えつつある。予の腹はまだ張っていて苦しい。家人はいつの間にか安らかに眠っている。予がほんとうの夢に這入《はい》ったのはどの辺からであったろうか。シモーン・シニョレの風貌が歪《ゆが》んで崩《くず》れ出したあたりからであろうか。………予はそんなことを考えながら再び睡《ねむ》り始めた。

＊＊＊＊この書き下し文の大意は以下の通り。「呂太后は、漢の高祖劉邦がまだ身分が低いときに妻となり、一男一女を産んだ。その後、劉邦は皇帝となり、美しい戚夫人を側室とし、寵愛した。戚夫人は、息子を生んだ。呂太后の息子は、気のやさしい柔弱な性質で、高祖は自分に似ていないと感じていた。……戚夫人は、自分の息子を皇太子にするよう、高祖にたびたび懇望した。呂太后のほうは、ますますうとんじられるようになっていった。……高祖が亡くなると、呂太后の息子が後を継いで孝恵帝となった。……呂太后は戚夫人を監禁し、戚夫人の息子の趙王を呼び出して殺そうとした。……気のやさしい孝恵帝はそれを知って、自ら出向いて趙王を迎え、いっしょに宮殿に入り、趙王をかばって寝食をともにした。そのため、呂太后は趙王を殺したくても機会がなかった。だがついに、孝恵帝が朝、狩りに出かけたとき、年若い趙王は早起きができず、ひとりになった。そのすきに、呂太后は趙王に毒を飲ませ、孝恵帝が戻ったときには趙王はすでに死んでいた。……呂太后は、戚夫人の手足を切断した。……人彘と名づけた。数日してから、孝恵帝を呼んで、人彘を見せた。孝恵帝はそれが戚夫人であることを知ると、大いに泣き悲しみ、寝こんでしまい、人をやって呂太后にこう言わせた。『これは人のすることではありません。このようなことをするあなたの子である私には、とても天下を治めていくことはできません』それ以来、孝恵帝は酒を飲み淫楽にふけり、政務を放棄した」

＊地下室のこと。

＊＊静岡県熱海市伊豆山にある観音像と、その像を祀る寺院のこと。

よくないものを出す

［落語］祝《いわい》の壺《つぼ》

桂米朝

〃そこへ隠居はんが入って
いっぺんだけ用足《た》しなはった。
まじないちゅうたら馬鹿にでけまへんなあ、ええ。
医者がどうにもならんと言うてた熱病が、
それですうーっと治ってしもた。〃

排泄には、よくないものを身体の外に出してしまう、という感じもあります。

そのためか、西洋でも東洋でも、昔は病気の治療のために下剤をよく使いました。病気を下してしまおうというわけです。

この噺《はなし》でも、たった一度の排便で、ひどい熱病が治ります。そして、壺の底にはその便が黒く焼きつき、どう洗っても落ちません。

うんこに対する、こういう発想もあるのか、と、とても印象的でした。

桂米朝（かつら・べいちょう）

1925－2015　落語家。満州大連市生まれ、兵庫県姫路市出身。正岡容の門人となり、伝統芸能、演芸の研究家を目指すも、上方落語は戦後、滅びかけていた。4代目桂米團治に師事し、「末路哀れは覚悟の前やで」と師匠から言われながらも、上方落語の継承、復興に身を投じ、「上方落語中興の祖」と讃えられる。埋もれた噺も発掘し、桂枝雀をはじめ、多くの弟子を育てた。落語界で2人目の人間国宝となり、演芸界初の文化勲章受章者となった。

「祝《いわい》の壺《つぼ》」という上方では珍しい噺ですが、水道が通る以前は、町へ水屋《みずや》が水を売りに来ました。大阪は井戸を掘っても、どこでもええ水が出るとは限らん。やっぱり埋《うめ》立地《たてち》みたいなとこやさかいに、井戸水かてもうひとつやったんですな。ほいで、水屋が東横堀《ひがしよこぼり》、西横堀《にしよこぼり》、長堀《ながほり》、道頓堀《どうとんぼり》、縦横の掘割《ほりわり》を通って、船に桶《おけ》を載せて水を売りにまいりました。

それを買《こ》うて、置いとかんならんので、たいがいの家《うち》には水壺《みずつぼ》というものが台所にございまして、これがないことには炊事《すいじ》もなんもでけなんだというような、まあそんな時分のおはなしでございますが。

清「おい喜《き》ィ公《こ》、不景気な顔してるな。一杯飲ましたろか」

喜「おう清《せい》やん、酒か」

清「当たり前やないか」

喜「いやそれが、こないだ作《さく》さんに会《お》うて、一杯飲ましてえなーちゅうたら、おお、飲ましたるちゅうて井戸端《いどばた》へ連れて行《い》て、なんぼでも飲めえちゅいよるねん」
清「そんな、お前なぶられてんのや。わしゃそんなことは言わんわいな。ちょっと酒屋で立ち飲みてなもんと違うで。気の利いた小鉢物《こばちもん》の二つ三つ前へ置いて、床柱《とこばしら》を背にでーんと座って、お茶屋のぷーんと匂《にお》う青畳《あおだたみ》の上で、芸妓《げいこ》に酌《しゃく》の一つもさしながら三味線の音でも聞いて飲むちゅうのや」
喜「おいおい、えらいこと言いだしたなあ。で、銭《ぜに》持ってんのかい」
清「銭《ぜに》はないわいな」
喜「ええっ、銭《ぜに》なしでそんなことができるか」
清「実は昨日このやんに会《お》うたんや」
喜「このやんて誰や」
清「そう、二人で前、よう安《やす》もんの散財《さんざい》してた時に、ええ、芝居裏で馴染《なじ》みになったあの芸者、この次《じ》ちゅう芸妓がおったやろ」
喜「あーあ、このやんかい。ああ、元気にしてるか」
清「久しぶりに会《お》うたん。このごろわしも不景気でなあ、遊びにもよう行かんが、元気でええなあちゅうたら、おかげさんで阪町《さかまち》にちょっとしたお茶屋を一軒持つことになりましたんやとこない言う。おまはんは甲斐性《かいしょう》のある女やさかいに、いずれ何かやるやろうとは思うてたが、そらあめでたいな。今日が開店でございますねん、いっぺん験付《げんつ》けに来とおくなはれとこう言うた。なあ、ここへ行《い》て、ひとつ散財しようちゅうのや」
喜「銭《ぜに》なしでかい」
清「開店早々のお茶屋やったら、銭《ぜに》がなかっても行けるのやがな」
喜「ふうーん、法楽《ほうらく》かい」
清「なんや、ほうらくて」
喜「そう、開店の日、お前、法楽言うてみなただで客入れるやないかい」
清「そら風呂屋やがな。お茶屋に法楽があるかいな」
喜「娼妓《おやま》に、かわらけがあるがな」
清「そんなしょうもないことを言うてんのやあらへん。行けるというのはやな、今日が開店という、それが昨日のこっちゃろ。ほう、ほなまた明日《あした》にでも行かしてもらうわ。そやけど古い馴染《なじ》みや、何か祝いの一つもさしてもらおうちゅうたら、いやいや、もうそんな気ィ使わんと、来ていただくだけで結構だっさかいに……。いや、そうはいかん。しかし、おまはんらは顔が広い。いろんなとこから、ぎょうさん祝《いお》うてもろてるやろ、なあ。あんなもんは重なったらなんにもならんさかいに、何かないもんが

あったら言うてくれ、てこに合うもんやったらさしてもらう、とこう言うたら、いや
いや、大勢のお客さんのおかげでお店のほうも、花活けやら掛軸《かけじ》やら、座布団から何
から、もうすっくり揃《そろ》えてもらいました。それやったら、茶の間か台所のほうでもと
言うたら、いやいや、そっちのほうも、まあ、水壺がまだぐらいなこって、もう大抵
揃うてしまいましたで、どうぞお気遣いなしに遊びに来てもらいますだけで結構だす
よってに……。そうか、ほんなら近々《ちかぢか》寄せてもらうわ、さいならちゅうて帰ってきた
んやがな。ええ、水壺をどけてほかはみな揃たちゅうのは、水壺を祝《いお》うてくれという
謎を掛けてよるのやがな。そやさかい、ここで水壺を、お前とわいと二人でかつぎ込
んで、これお祝いやと言うてみ、ええ、向こうも放《ほ》っとかれへんがな。まあまあ、ほ
な一口やっとくれやす。そうか、ほなまあ、験《げん》付けだけさしてもらおうかちゅうて、
あっさりわーっと騒いで飲んで、まさか向こうもその日に勘定《かんじょう》くれとは言えへんわい
な。ほな近々また来るよってにちゅうてしゅっと去《い》んで、ほいでもう放《ほ》ったらかしと
いて、で、まあ催促《さいそく》が来たらぼちぼち払《はろ》うたらええがな」
喜「ふうーん、なるほどな。…そやけど、それやったらお前、水壺持って行かんなら
んで」
清「そらそうや」

喜「うーん、どんな水壺や」
清「どんな水壺て、お前、そやなあ、やっぱりお祝いや言うて、ちょっと偉そうな顔して行くんやったら、やっぱり二荷入《にかい》りの大きいやつをでーんと据《す》えてやりたいなあ」
喜「二荷入りの水壺ときたら、そらお前、ちょっとこら八銭ではないで」
清「当たり前やがな。二荷入りの水壺が八銭や十銭であるかいな」
喜「なんぼぐらいする」
清「そうやなあ、こんなもんめったに買《こ》うたことないが、そら三円や四円はするやろな」
喜「えっ、祝いに四円も出すのんやったら、自前で散財したらええんや。そのほうが気が利いてるがな」
清「さあそこや。まあ古道具屋へ行《い》て、そこ、安《やす》ういやつを探そうと思うのやがな」
喜「ふーん、そやけど、お前、なんぼ古道具屋へ行《い》ても、三円も四円もするもんを、八銭ではない」
清「そら八銭ではないちゅうねん。まあどう考えても、やっぱり一円五十銭から二円ぐらいはするやろ」
喜「それみてみいな。古道具屋で一円五十銭、それを値切ったところでやでえ、そらちょっと……」

清「さあそこや。ちょっと目に見えん、目立たんところにその、傷のあるちゅうようなものがあるやろ、傷物《きずもん》やな。まあ、使うのには別に差し支えんが、傷があるさかい安いというような、そのちょっと目立たんところに傷のあるというようなものを探したらまた安《やす》なるやろ」

喜「うんそれで、それでも八銭には……」

清「ちょっとその八銭と縁切り……。お前、八銭にはならんわいな。そやけどまあ、一円ぐらいにはなると思うのや」

喜「一円あるのかいな」

清「さあそこや。その目につかんところの傷やったらやな、向こうも、一円くれとか一円二十銭くれとか、わからんところの傷ならそれぐらい言うわいな。……そやけども、ひび割れがあってちょっと……今は大丈夫やけど、ものの二月《ふたつき》も使《つこ》てたら、こら割れてしまう、ひびが入ってるとかいうような、まあ言うたら命取りの傷や。そういうのになるとまたぐっと安いと思うねん」

喜「ええ、そんな傷物《きずもん》持って行くのんかいな」

清「どうせ一月《ひとつき》か二月もってくれたら御《おん》の字や。で、お前、なんぼほどあるねん」

喜「いや俺、懐《ふところ》に八銭しかないんや」
清「はあ、それでさいぜんから八銭や八銭や言うてんねやな」
喜「お前、なんぼ持ってんねん」
清「わしのほうも小銭《こぜに》がチャラチャラ言うてんのやが……えらいもんや、ほいでも、十七銭あるわ」
喜「うん、八銭よりだいぶ上やな」
清「八銭より倍からあるわい。二人合わせて二十五銭。こら、売り物《もん》にならん、ここに傷が入ったらもうしゃあないでというようなんなら、まあ二十五銭でも買えんことないと思う、まあそういうもんを探そう」
喜「へえ、えらいこと考えよったんやなあ。そういうのんあるやろか」
清「さあ、そんな、おあつらえ向きのもんがあるやどやわからんが、とりあえずそこの道具屋、いろんなもんがあるさかい、向こうへいっぺん行《い》てみよう。ついといで。
……じゃまするで」
道「へえ、お越しやす」
清「水壺を一つ見せてもらいたいと思うて来たんやがな」
道「ああさいでおますか、へえへえ、このへんに並んでおります、水壺なら。こっちが一荷入《いっかい》りで、こっちが二荷入りでな」
清「ははあん、なかなかええな」
道「へえ、こらもう上物《じょうもん》でおます。ええ、この二荷入りはさら同様でな。信楽《しがらき》でおまして、ちょっと使《つこ》うたあるだけにかえってな、艶《つや》なんかが良うなっとりますぐらいなもんで」
清「これなんぼになる」
道「そうでんなあ。二円と言いたいんですけど、もう値切られる先にこっちから一割お引きして、一円八十銭ならいかがなもんで。こらあお買い得やと思いますがな」
清「ああ値打ちあるわ。値打ちはあるけども、ちょっとこっちの懐《ふところ》と合わんのでなあ」
道「ああさよで。こっちのほうはな、ちょっと色は悪《わる》うございますが、使《つこ》うていただく分には、どないもないんですけど、ちょっと見た目が、ほれ、これとなら劣りまっしゃろ。で、これは一円五十銭までお引きできますがな」
清「あのな、ええ、ちょっと傷があってもええんやが、ぐっと安いのんないやろかな」
道「ああさいで、ほんならこっちのほう、これはその、台の下のほうに傷が……。使《つこ》うていただく分にはちょっとも差し支えないんで、へえ、これ後ろ向きにしときましたら傷は見えしまへん。へえー、これならもう一円二十銭にさしてもらいますが」

清「もうちょっと……」

道「一体、なんぼぐらいならよろしいんで」

清「実はなあ、もう割って話をする。ここに二人で二十五銭より銭《ぜに》がないねん。いろんな行きがかりで、どうでも水壺を買うて人にあげんならんことになったんや。二人、懐さぐってみたら、二十五銭しか銭《ぜに》がないねん。でなあ、七日後《あと》にひびが入る、十日後には割れてしまうてなもんでもええのやけど、とりあえず今日のところは格好だけつけたいと思うんやが、そういうその……今はまあ壺の格好をしてるけども、もう五日も経《た》ったらどないなるやわからんというようなもんでもかまへん。二十五銭でなんとかこの二荷入りぐらいの壺が手回《てまわ》らんかいなあと思うて、もう割って話《はなし》するんやけどな、なあ親爺《おやっ》さん、どないぞならんかいな」

道「……よう言いなはった。二荷入りの水壺、二十五銭で買おうちゅう度胸だけは立派なもんでやすな、ええ。それならええもんがおます」

清「あるかい」

道「へえ、ちょっと外へ出て……その軒《のき》の下、雨だれ受けにしてまっしゃろ。この壺ならもう二十五銭でも二十銭でも結構や」

清「ほほう、なかなかしっかりしたええ壺らしいが、傷でもあるのか」

道「いいや、傷も何もあれしまへん。焼きも上等でおます、へえ。これちゃんとあそこへ並べておいて、ええ、一円八十銭、二円ちゅう値ェつけたかて売れます」
清「そんなええ壺をなんで二十五銭で売るちゅうねん」
道「まあ、あんさん……お聞きにならんほうがよろしい」
清「そんなこと言いないな、おい。そんなこと言われたらよけい聞きたいがな。そらなんぞわけがあるねんやろ、この中から幽霊が出るとか」
道「いや、幽霊は出えしまへんがな。ま、あんたがお使いになるんやないんなら、まあしゃべってもよろしいがな。実は、ちょっとこの、この町内に、船場《せんば》の和泉屋《いずみや》はんちゅうて、大きなお店の隠居はんが住んではった隠居所があったんでやす」
清「うん」
道「その隠居はんが、えらい高熱の出る、えらい熱の出る病気にかかった。で、お医者はんに診《み》せたけども、どうにも見立てがつかん。で、ある八卦見《はつけみ》が見たところが、これにはええまじないがある。家の鬼門《きもん》に当たる方角へ便所を建てて、いっぺんでええさかい、そこへ入って用を足したら病気は治ると、こういうことや」
清「ふーん」
道「で、庭の隅《すみ》へ、そらまあいっぺんだけ使うちゅうんやさかい、もうそんなもん、むしろがけみたいなお手水場《ちょうずば》こしらえて、そいでそこへ隠居はんが入っていっぺんだけ用足《た》しなはった。まじないちゅうたら馬鹿にでけまへんなあ、ええ。医者がどうにもならんと言うてた熱病が、それですうーっと治ってしもた。で、もうあとは要《い》らんちゅうんでその便所は潰《つぶ》してしもたんやけど、なんぼいっぺん使うんでも、やっぱり土掘《つち》って壺埋《うず》めますわな。それ掘り出したんやが、こんなええ壺、割るのももったいないし、というて正体を知ってるだけに、ほかのもんには使われへんし、で、わたいそこへ出入りしてたんで、おまはんにやるさかいにな、これまた便所でもつくるてな普請《ふしん》する時に使《つこ》うてくれ、そうせんともったいないがな、こんだけの壺を……ちゅうわけでな、ほんならわたいそうさしてもらいまっさと言うてもろてきて雨だれ受けにしてるというわけだっさかい、どこにも傷はあれしまへん。ええ壺でっせ」

清「なるほど。ふうん、ほなこれ、いっぺん使《つこ》うた……」

道「いっぺん使《つこ》うただけでんねん。まあきれいなもんだんねん」

清「ははあ。おい、ちょっと手ェ貸せ。ここの溝《みぞ》へこの溜《た》まってる水流してみよ、流してみよ。……ははあ、ちょっとこの水ごけみたいなもんがついたあるな」

道「ええ、そんな水垢《みずあか》やみな、縄切れかなんかでごしごしとこすってもろたら、きれいになりますわいな」

清「そらそうや。……このそこのほうが、なんじゃえらい真っ黒になったあるな、この真ん中のところが」
道「はあ、それがあんた、熱のかたまりでんねん」
清「熱のかたまり」
道「さあさあ、隠居はん、いっぺん用足しただけなんやけど、その時に体じゅうの熱がみな出たんでやすな、ぱーっと。それがその焼き物に焼きついて、こすってもどないしても、そらもう水かけようが取れんので、焼きついてしもうた」
清「恐ろしいもんやな、ほうー。これはここが黒《くろ》うになってるちゅうだけのことか」
道「へえ。ほかにはもう傷一つあれしまへん。立派な壺でんねん」
喜「ほうっ、さよか。これええな、これにしようか」
清「これよりしゃあないがな。ほな、これ二十五銭」
道「もう二十銭でもよろしい」
清「いやいや、そらまあ二十五銭取っといてえなあ。その代わり、これ持って行くのにちょっと棒かなんか、あったらもらいたいんやが」
道「へえへえ、そこに竹があるわ。で、縄切れもそのへんにおまっしゃろ。それでこう上手《じょうず》に荷づくりして、その竹通して持って行きなはれ」

喜「はあ、おおけありがとう。わあー、こんな壺、これ、ええっ、これはとても二十五銭とは見えんで、ほんまに掘り出しもんやな」
清「……掘り出しもんや、そら」
喜「あはっ、なるほど、これがほんまの掘り出しもんや」
清「ああちょっとそこに井戸があるわ。その井戸端《いどばた》でな、これきれいに洗《あろ》うて行こ。すんまへん、ちょっとこの井戸端貸していただきたいんでやす。へえ、えらいすんまへんな。おい、その縄切れ持ってこい。それでごしごしこすれ。ええ、ざあっと洗《あろ》うたらええさかいな。……ああ、えらいすんまへん。そうそうそう、かつげかつげ。……そこ曲がって……そこの家《うち》や。ええーっとな、この屋という店の名前言うとった。ここやここや。このやん、いてるかい」
こ「まあまあお越しやす。昨日はどうも」
清「いやいや、昨日聞いたもんやさかい、早速な、ほでもう、あない言うてたよってに、人が持って来《こ》ん先にと思うて、ちょっと水壺を一つ段取りして……」
こ「まあえらいすんまへんなあ……まあ重《おも》たい目ェさして、こんな」
清「これは祝いや、気持ちだけやさかい」
こ「えらいすんまへん。ほなちょっと……」

清「いやいや、わしがちゃんと据《す》える。台所……裏から回ったほうがええな」
こ「男手がないもんだっさかいに、えらい目に遭《あ》わしまんな、ほんまに。へえへえ、どうも申し訳ないこって、こっちゃから、横手から、へえ」
清「ほんなこの隅へ据えといたらええか」
こ「あのう、そのへんで結構でございます」
清「とりあえず置いとくよってにな、また誰かが来た時に、使いよいように置き替えてもろたらええがな。……おい、ちょっとぐらぐらするな、おい。ちょっと下に何か、かまさんならんさかい、ちょっと板でも持っといで」
喜「よいしょ」
清「あほっ、ぐらぐらするのを直すのやないかい。ちっちゃい木切れでええのや。こんな大きな板二枚も持ってきてどないすんねん」
喜「これこの壺の上へ、こう並べて載せようか」
清「なんでやねん」
喜「ちょっと踏み板の代わり」
清「あ、あ、あほ、しょうもないこと言うのやないがな。下へ……そこへかませ、かませ。そんなこってよかろう。ああ、このやん、こうしといたよってにな」

こ「まあすんまへん。手洗《あろ》うとおくれやっしゃ。……どうぞこっちへ、上がっとおくれやす」
清「いや、いずれまた改めてゆっくり来《こ》さしてもらうさかいに」
こ「そんなことおっしゃらんと。え、改めてまたゆっくり来てもいただきますけど、今日のところは、ま、あのう、お口汚しだけにちょっと用意いたしましたんで、まあ一口上がって帰っておくれやす」
清「ええ……うん、そらまあ験付《げんつ》けちゅうこともあるけども、うーん、ほなまあ、座敷もやっぱりちょっと見せてもらいたいさかい……ほなちょっと上げてもらおうか」
こ「さあどうぞ」
喜「あはっ、すっくりいた」
清「これ、黙ってえ。……おおう、気持ちがええなあ、やっぱり新規開店ちゅうやつは、ええ。うーん、何もかも新しいて、ええ、古い家でもこれだけ手ェ入れると……畳でも襖《ふすま》でも気持ちがええがな」
こ「なんにもおまへんけど、一口上がっておくれやす」
清「いやいや……そうかあ、えらいすまんなあ、ほんな喜《き》ィ公《こ》、せっかくやさかい、ちょっとよばれようか」

喜「あ、もうそら、そうなったあるねん」
清「な、なに、要《い》らんことを言うな、お前。ええ、うん（飲むしぐさ）」
喜「……ええ酒や、うまいなあ」
清「ええ酒やなあ」
喜「うん。このところ、もう何飲んだかてうまい」
清「そんな、不景気なこと言いないな、お前」
喜「いやいや、ちょっとさいぜんから動き回って小腹《こばら》が減ってたもんやさかいなあ、特に、この酒がうまい。今日はよう回るでえ、ええ、うんうんうん……五臓六腑《ごぞうろっぷ》へしみわたるちゅうやっちゃあ、ははは」
清「おい、これちょっとやってみい。……うん、突き出し、気の利いたもんや。やっぱりさすが、このやんやで。ああ、もう、このやん、てなこと言うたらいかん、この家《や》の姐貴《あねき》やなあ。ちょっと出す突き出しでもこんだけ気が利いたある」
こ「お料理がなんにも間に合えしまへんので、とりあえず、しばらくの間、これでつないでてもらいますように」
清「やあ、漬物《つけもん》。これがええのや。漬物で飲むちゅうのは、ほんまに酒の味もようわかるし、うん……うーん、自分とこで漬《つ》けたんか、へえっ。まめなさかいなあ、おまはんは。いずれこうやって一軒、店を持つ女子《おなご》やとは前々から思《おも》てたんやが……」
こ「あのもう、急なこったさかい、なんにもでけしまへん。とりあえず、もうこれ一番手っ取り早いと思いましてな。あのう、お吸物《すいもん》を」
清「ええ」
こ「卵のお吸物で……」
清「玉吸《ぎょくすい》なんて、わあ、こらまたこんなもんで精《せい》つけるてな、こらあ、ありがたい」
喜「おいおい、ちょっとやめえっ」
清「なんや」
喜「これお前、吸物ちゅうのは、お前、これ水でつくるんやろ」
清「当たり前やないかい。水でつくらなんだら何でつくるねん」
喜「ほなお前、これ、あの壺の水でやったんかどうか、ちょっといっぺん訊《き》いてみい」
清「あ、そやな。……姐貴、何かいな、この吸物は、あの壺の、水使《つこ》うてやってくれたんかい」
こ「そうでんのやがな、今まで大きな壺がなかったもんだっさかいな、水屋はんが来ても小さい壺に幾《いく》つも入れてたん、それみなあれへ移させてもろたん、やっぱり使い勝手がよろしいな。早速、重宝さしてもろてまんのやがな」

清「ああそうか……。おい、あの水でこしらえよったんや」
喜「ああ……そこへ卵が浮いてるやなんて……因縁やなあ」
清「要《い》らんこと言いな、おい。飲めんようになってもたやないか。……いやいや、実はこれちょっとええわ」
こ「なんで」
清「いやちょっと……ちょっと事情《わけ》があって卵、断《た》ってんねん」
こ「まあ、それはまあ心づかんこって、先に聞いといたらよかった」
清「いやっ、もう何も、何もせんでええ。この漬物でええねん。……これに限る、うん。そらもう漬物で飲むのが好きやさかいな。要《い》らん心配せんといてや」
喜「おい……この漬物は、このやんが漬けたちゅうてたな」
清「そうや」
喜「ほな漬物桶《つけもんおけ》から出していっぺん洗うわな。ほたら、その洗《あろ》うた水は……」
清「おい、この漬物はやっぱり何かいな、あの壺の水で洗うて」
こ「そうでんねん。もうみんなあれを使わしてもろて、もうこれから仕事がはかどりますわ」
清「ああなるほど。おい、こんなこと言うてたら、こらもう飲むもんも食うもんもあらへんがな」
こ「どうぞゆっくりしとおくれやっしゃ。今、芸妓はんが見えまっさかい」
清「えっ、おい、芸妓、呼んでくれたんかいな」
こ「まあ誰を知らそうか思うたんやけど、急なこったすさかいな、これと思うお妓《こ》がでけしまへんのんで、年増《としま》の芸妓はん一人、まあ今日のところはほんまのまあお愛想《あいそ》に……」
芸「こんばんは。おおきに」
こ「姉ちゃん、来てくれてやったんかいな。どうぞこっちィ」
喜「うわあ、ほんに、えらいお婆《ば》ん芸妓入ってきたで、おい。……こら何かい、あんさん、明治初年ごろからやってなはんのかい」
芸「ようそんな、根性悪いこと、何言うてなはんねん。わてもそら、そう若いことはあらしまへんけど、これでも二十歳《はたち》の妓《こ》四人呼んだと思うてもろたら……」
清「うわーっ、えらいのんが来たなあ、おい、八十やで」
喜「親孝行してると思おうか」
清「あほなこと言いな」
芸「あんた、そない毛嫌いするもんやあらしまへんで。色は年増にとどめ刺す」

清「年増過ぎるがな」
芸「そう言いなはんな、あんた。女が味が出てくるのはやっぱり五十過ぎなんだら、ほんまの味なんか出てけえしまへんがな。こう見えてもな、今は梅干し婆《ばば》あでも粋《すい》（酸い）と言われたこともある。〽鶯《うぐいす》止まらかしてホホラホケキョーとお、鳴かせたーあ、ことーもあるうー、おーい」
清「うわあ、えらい婆《ばば》が浮い*たな」
喜「ばば**（糞）も浮くはずや、せんち（雪隠）壺に水張った」

＊「浮かれたな」ということ。
＊＊「ばば」は関西弁でうんこのこと。「雪隠」はトイレのこと。

第五便

うんこと真剣に向き合う

うんこを毛嫌いするのではなく
真剣に向き合ってみたら……

自分の大便を見つめる

［随筆］

黄金綺譚《おうごんきたん》

潔癖の人必ず読むべからず

佐藤春夫

〝舌がまだそれを十分に確認することができなかった場合にも、
時を経てわたくしは必ず満足な排泄物を見るので、
ああ、あれはやっぱり本当のごちそうであったのだなと、
わが舌の知らなかったことをこれによって教えられる。
見かけ倒しのごちそうの場合は
決してこのことのないのも現金なものである。〟

食べものの善し悪しを、舌で見抜くのではなく、うんこで見抜くというのは驚きました。でも、たしかに、これはあります！ 食べたものの品質は、うんこに反映されます。ただ、うんこを、医者でも病人でもない、作家の佐藤春夫が、じっくり観察していたというのが意外です。

汲《く》み取りをする人たちが、糞尿の臭気によって、その家の経済状態とか、病人のあるなしまで見抜いていたというのも、驚きです。

佐藤春夫（さとう・はるお）

1892－1964 詩人、小説家、評論家。和歌山県新宮生まれ。生家は代々の医家。中学校卒業とともに上京。生田長江、与謝野鉄幹・晶子夫妻に師事。慶應義塾大学文学部中退。小説『田園の憂鬱』で注目される。詩集に『殉情詩集』、評論随筆集に『退屈読本』などがある。油絵で二科展に入選したり、探偵小説のジャンルを開拓したり、中国文学を翻訳したり幅広く活躍。谷崎潤一郎の妻・千代を譲り受けた「細君譲渡事件」も世間の注目を集めた。

これはただごちそうのお話にすぎないが、*おめでたい記念号の読み物にふさわしくちょっと景気のいい題をつけて置こう。

わたくしは田舎者で、それも士**《シ》、道ニ志《ココロザ》シテ悪衣《アクイ》悪食《アクショク》ヲ恥ヅル者ハ未《イマ》ダトモニ語ルニ足《タ》ラズと云う思想を持った父の下に育てられたから、美食を論じごちそうを語る資格は全く欠けた人間である。

しかし父は医者で、常に食物の栄養価には注意を払い偏食を戒《いまし》めたおかげでか、既に七十余年の生涯にまだ一度も病気らしい病気をしたこともないのがわたくしである。

それでわたくしの舌は美味佳食を一向に鑑別《かんべつ》することもできないにもかかわらず、

*この随筆は、当時有名だった食の雑誌「あまカラ」の第一五〇号（昭和三十九年〔一九六四〕二月五日）という記念号のために書かれた。

**孔子の『論語』の一節。大意は「学問や道徳を身につけようと修行する者が、洋服がみすぼらしかったり、ろくなものが食べられないことを恥ずかしがるようでは、いっしょに論ずる資格がない」ということ。

わたくしの胃腸はふしぎなばかり、よくごちそうを知っている。

それで、普通一般には舌を主にして語られるやに見える天下の食通先生がたとはいささか趣《おもむき》を変えて、ここでは、胃腸の見地からごちそうを語って見たいと思う。決して奇を好んで戯言《ざれごと》を弄《ろう》するのではない。わたくしは分に応じ、自分の持っている資格によってこの議論を披露するのである。

さて、ここで先《ま》ず第一におわびし、おことわり申して置かなければなるまいが、胃腸の見地から論じられるごちそうは、自然の勢《いきおい》として談が少々ばかり尾籠《*びろう》にわたって、ごちそうの末路も立ち到るやも知れないが、事は真実を述べるに急で、極めて厳粛なものである。決して眉をしかめたり、鼻をつまんだりせずに、ご通読を煩《わずら》わしたいものである。しかし真実を好まずまた潔癖な君子は、この先は断じてお読み遊ばさないのがよろしかろうかとご注意申し上げる。

というのは、わたくしがごちそうらしいものをいただいて、舌がまだそれを十分に確認することができなかった場合にも、時を経てわたくしは必ず満足な排泄物を見るので、ああ、あれはやっぱり本当のごちそうであったのだなと、わが舌の知らなかったことをこれによって教えられる。見かけ倒しのごちそうの場合は決してこのことのないのも現金なものである。そこがこれを黄金綺譚《おうごんきたん》と題したゆえなのである。

然《しか》らばどんな排泄物をわたくしが満足なものと呼ぶのか。その条件たるや、決してナマヤサシイものではない。先ずその硬度である。硬きに過ぎず、軟《やわらか》きにすぎず、中庸を得て、それが適当な長さを保ち、密度こまやかにセピヤの色調おっとりとしぶい美観を呈《てい》し、時にはややうぐいす色を帯びたものなどもよろしく、必ずしも黄金色でなくてもよい。そうして独得の香気を放つものに限り、異臭のあるものは絶対に不可である。

わたくしは数日前、話だけでは誰にも信じられまい、と云《い》ってこれを保存して置く方法のないのが惜しまれるほど、さながらに花のかおりにも似たものを排泄し、あまりの不思議さに、しばらく考えた末に、それが前夜食後口にした柑橘《かんきつ》が作用しているものかとも思ってみたが、まだよくわからない。

わからないと言えば、例のものの重量に関してであるが、水中にしばらく遊弋《ゆうよく》**していいるものがよいのか、それとも水音を立ててそのまま沈没するようなのがいいのかは、まだ研究がつまびらか***ではないので権威を以《もっ》ては発表しがたい。

＊汚いこと。
＊＊あちこち動き回ること。
＊＊＊細かいところまではっきりしていること。

しかし密度、長さ、香気、色調などさえ一とおり規格に合っているならば、先《ま》ずはごちそうの末路として有終の美を成したものと称して差支《さしつか》えあるまい。

わたくしは、決してただの物好きで排泄物の研究に耽《ふけ》っているのでもなく、これを学位論文にしようなど柄《がら》にない野心を抱くものでもない。単に自身の健康を*卜《ぼく》する**料《りょう》とするだけであるが、稀《まれ》に同好の士がいて、研究発表を微《び》に入り細を穿《うが》って相互に交換するのも亦《また》たのしい。

これら満足な排泄物は、たとえばひとり玄関口で歓迎されたばかりではなく、堂に登り室に入ってからも珍客として好遇された証拠を示すもので、それは口ばかりか、胃腸からその出口に到るまで、全身の行く先々を喜ばせ適当に活動させて通過したものと見るべく、これをこそほんとうのごちそうと呼ぶべきで、料理人たる者はこういうごちそうのメニューに腐心《ふしん》すべきではあるまいか。

亡友西村伊作***氏は一家言に富む人であったが、物にはそれぞれにそれ自身の甘味がある。それは生かすのが真の美味というもので、過剰な砂糖などを浪費して物自身の持つ甘味を殺した調理などは娼婦の愛にほかならずと細君を叱《しか》り教えていたものであった。この西村流表現を以《もっ》てすれば、ただ口舌にのみ甘美で胃腸に入って快《こころよ》からざるごちそうの如《ごと》きは、まさしく娼婦の愛に類して人を毒するものに相違あるまい。

以前、科学肥料が今日のように流布《るふ》しなかった時代、人肥《じんぴ》の汲取人《くみとりにん》たちが、彼らの採取場にあって、その臭気によって、ここの家族中に病人のいるらしいことや、その家の食味におごっている****ことや、さてはあまりにつましき*****に過ぎることなどを判断したと聞き及《およ》ぶが、これも決して偶然ではなく、亦《また》わたくしのこのごちそう観と一脈相通ずるものがあるように思われる。

わたくしのこの全身を大手を振って通行し、能《よ》く有終の美を成すもののみが真の美味であるとする小論は、ヤブ医者でない限り天下の医家によっても賛成してもらえるに足《た》る名論卓説であると自讃して擱筆******する。

＊よしあしを判断する。
＊＊資料。
＊＊＊教育者、実業家、建築家、画家、陶芸家、詩人、生活文化研究家という多才な人物。平成三十年（二〇一八）まで続いた文化学院の創設者。
＊＊＊＊ぜいたくをしている。
＊＊＊＊＊質素。
＊＊＊＊＊＊「かくひつ」。筆を置いて、書くのをやめること。

あえて外で出す

［実践談］

野糞《のぐそ》の醍醐味《だいごみ》

（『くう・ねる・のぐそ　自然に「愛」のお返しを』より）

伊沢正名

〝年がら年中変化のない
狭い閉鎖空間のトイレとちがって、
野糞は刻々と移り変わる
雄大な自然との触れ合いだ。
四季折々の草木を愛で、
鳥や虫の音に浸り、
風の薫《かお》りに包まれながらする排便は、
身も心もとろけるような至福のひとときだ。〟

野糞をしたことがありますか？

もしあったとしても、トイレが近くになくて、しかたなしという人が多いでしょう。

でも、世の中には、自分で決心して、野糞を始める人もいるのです。

「一九七四年元旦から野糞をはじめ、はや半世紀近い時が流れた。これまでにした野糞は一万六千回に迫り、トイレを使わない連続野糞最長記録は十三年と四十五日」という著者による、野糞の醍醐味の解説です。

伊沢正名（いざわ・まさな）
1950－　糞土師。茨城県生まれ。1970年より自然保護運動をはじめ、1975年から独学で自然写真家の道を歩む。2006年に糞土師を名乗り、ウンコと野糞で人と自然の共生を訴える。気候危機などで生物の大量絶滅へと向かう「人新世」を、再生を目指す「糞新世」へと転換すべく奮闘している。主な著書・共著書に『日本のきのこ』『日本の野生植物 コケ』『葉っぱのぐそをはじめよう』『うんこはごちそう』『ウンコロジー入門』など。

●野糞は心身の解放だ

屎尿《しにょう》処理場建設反対運動に端を発し、「自然とともに生きる」という信念ではじめた野糞だったが、私は何も使命感だけでやってきたわけではない。むしろ楽しく、豊かな気持ちになれるからこそ、今日まで半世紀近くにもわたって続けてこられたのだ。

ウンコが嫌われる最大の原因は臭いだろう。昔のボットン便所では、目がチクチクするほどの刺激臭をよく経験した。しかし、それはウンコそのものではなく、腐敗の進んだウンコやオシッコにきつい消臭剤の臭気が混じり合った便所臭だ。水洗トイレになってからは換気もよくなり、ほとんど悪臭はしなくなったが、それでも野外の風の方が格段に気持ちがいい。

野山で出した新鮮なウンコは、下痢のときこそきつい刺激臭があるものの、体調がよければそれほどの悪臭ではない。しかも広い自然の中では、ウンコの臭いなどたちまちどこかに流れ去り、森の香りに溶け込んで、めったなことでは臭いと感じることはない。

年がら年中変化のない狭い閉鎖空間のトイレとちがって、野糞は刻々と移り変わる雄大な自然との触れ合いだ。四季折々の草木を愛で、鳥や虫の音に浸り、風の薫《かお》りに包まれながらする排便は、身も心もとろけるような至福のひとときだ。

そして地面に目を向ければ、足元の落ち葉をちょっとめくってみるだけでも、地上で生を謳歌《おうか》した動植物の死骸や糞など、死んだ有機物がいままさに分解され、土に還っていく現場を目の当たりにできる。

こうしてのんびりと野糞をしている私は、毎日三十分から一時間、ときにはそれ以上の時間をウンコに費やすことになる。効率優先の生活に慣れてしまった人には、ウンコのためにそんなに時間を使うなど、じつにバカげたことに思えるかもしれない。しかし、この「便利」になったはずの社会はどうだ。本来ならその分余裕ができて、気持ちがのんびりするはずなのに、あくせくしている人が、むしろ以前より増えたのではないか。一方の私はというと、野糞という非効率な行為を通じて、ヒトが本来持っていたであろう「生きものとしてのリズム」をつかみ、かえってゆったりとした豊かな心を持つことができた。

では、そんな快適な野糞をするためにはどうしたらよいか、私が初期に試行錯誤を重ねた経験から紹介していくことにしよう。

●うまく人目を避けるには

日本人ならお尻を見られたくない、排泄行為を人に知られたくない、というのは自然な感情だ。何も私は野糞をするからといって、開けっ広げに用を足す民族をうらやましいとも、真似をしようとも思わない。しかし、人目を避けるためにむやみに隠れたり、逃げ回ったりしていては、快適な野糞などできっこない。だから気持ちよく野糞をするには、手頃な場所を探し出すことに加え、うまく人目を避ける方法を修得することも大切になる。

では、気持ちよく野糞ができる林とはどんなところだろうか。まず第一に、傾斜がきつくなく、林床には倒木や枯れ枝が積み重なったり、ササや蔓草《つるくさ》などが密生して藪《やぶ》になっていないこと。それでいて適度に人目をさえぎれる茂みがあり、風が爽やかに吹き抜ける林だ。要するにごく当たり前の林なのだが、手間暇がかかるうえに経済効率が悪いからと、近年は放置されて荒れた林が多く、その当たり前がどんどん少なくなってきたのは、何とも悲しい。

つぎに、よさそうな場所を見つけ、ことにおよんだとしても、その最中にいつ何時、人が来ないともかぎらない。何しろ、敵は意外なところから現れるものなのだ。

これは、まだ私が野糞をはじめたころの失敗である。とある山中の川から一段高くなった林で、一応だれもいないことを確かめてから、川の方を向いてウンコをはじめた。傾斜地では、低い方に向かってしゃがむのが楽だからだ。

目の前数メートル先はすぐ崖になり、川面は見えないが明るい緑が広がっている。心地よい木漏れ日をあび、川のせせらぎを聞きながら、気分は最高だった。しばし放心して排便の快楽に浸っていると、不意に目の前の崖で細い棒が揺れた。それが釣り竿の先だと気付くまもなく、つぎの瞬間、いきなり人の頭がヌッと現れた。真下の川から、釣り人が崖をよじ登ってきたのだ。

水音にかき消され、まったく人の気配に気付かなかった。うかつだったが、もう遅い。あまりの恥ずかしさに脳みそがでんぐり返り、思わず両の手で顔を覆《おお》って固まってしまった。まさに頭隠して尻隠さず。その後どれくらい時間が経っただろうか。恐る恐る指の間から外をうかがうと、釣り人の姿はすでに消えていた。相手にしても、とんだ場面に出くわしてしまった決まりの悪さに、そそくさと立ち去ったにちがいない。

また、ある程度野糞に慣れてきた一九八四年秋には、こんなこともあった。あるキノコ会の写真撮影指導で宇都宮郊外の森林公園へ行ったときのこと。一通り講習を終えると、みな思い思いに林の中へ散っていった。私も写真を撮るふりをして林へ入ったが、真の目的はキノコ撮影ではなく、その日もまた新たな場所に野糞跡を印すことだった。

まわりの声や足音を注意深く聞きながら、この辺ならだれも来ないだろうという場所を探して穴を掘り、ズボンのベルトをゆるめた。その日は日曜日で、キノコ会のメンバー以外にもキノコ狩りの人々が来ていることを、うかつにも忘れていた。

ウンコが出はじめたとき、背後のちょっと離れたあたりから、いかにもキノコ狩りという感じの二、三人連れの話し声が聞こえてきた。しかし、こっちへは来ないだろうと高をくくり、そのままウンコを続けた。いよいよ佳境に入り、もうすこしで終わろうかというころ、話し声がどんどん大きくなって、足音とともに一直線にこちらに迫ってきた。もはやきちんと尻を拭く余裕はなかった。むろん穴を埋める時間もない。ズボンを引き上げながら、振り返る勇気もなく脱兎《だっと》のごとく逃げだした。

前方から人が来る場合には、早い段階から相手の行動を判断できる。手早くすませるなり、隠れるなり、または先制攻撃を加えるなり、対処の仕方はいろいろある。先制攻撃とは、相手が気づく前にあいさつするなど、声をかけてこちらの存在を知らせてしまうことだ。ウンコをしながら話しかけてくる変なヤツに相手はギョッとして、よほどの人物でないかぎりは気味悪がって逃げてしまう。もしそれでも近寄ってきたら、だれでもウンコはしているのだからと腹をくくり、世間話やウンコの話題で友好的に座り話（立ち話はできない）をするまでだ。

それにしても、背後からの来襲にはいまだに弱い。「背中を見せたら負け」というのは、野生では基本の感覚だと思い知らされた。これは永遠の弱点だ。以後私は場所選びのさいに、なるべく大きな木や藪《やぶ》を背にして、人がやってきそうな開けた方を向いて野糞をするようにしている。

●野糞は野生に還る闘いだ

冬に野糞の話をして、ときには雪玉で始末するというと、「それはあまりにも寒いだろう」と、みんなから敬遠されてしまう。私には氷点下一〇度、二〇度という酷寒の中での野糞体験はあまりないので、それについては語る資格がない。しかし、氷点下数度くらいなら何度も経験しているが、私はそれほど寒いと感じたことはない。

野糞にはまず、「野山を歩く」というウォーミングアップがある。「ドアを開ければ便器」とはわけがちがうのだ。ほどよくほてった体には、冷気も心地よく感じられるし、スポーツのような思わず体が熱くなる躍動感と興奮がある。

野糞で苦労するのは冬よりも、むしろ生きものが活発に活動する夏場だ。最大の敵は、必ずと言っていいほど襲いかかってくるカだ。さらにはハチ、アブ、ヒル、ダニ、マムシ、ハブ、ヒグマ、イノシシといった、さまざまな生きものたちへの備えも欠かせない。

野糞をはじめた初期のころ、私はちり紙をすこしポケットに突っ込んだだけで出かけ、無防備にも尻を丸出しにしていた。林床《りんしょう》が開けた風通しのよい林ならまだしも、なるべく人目につかないようにと、藪の中に潜り込むものだからたまらない。夏場の蒸し暑い日など、たちまち何十四ものカの大群に取り囲まれる。首や腕、さらに尻から太股にかけて肌が露出していては、必死に振り払おうとしても、わずか二本の手では到底勝ち目がない。とりわけ肛門周辺はウンコがあるので、うかつに手を出せない聖域だ。超特急でウンコをすませ、痒《かゆ》みが駆けずり回る尻に触ってみると、刺されて腫《は》れ上がったところがさらに刺され、二段重ねに膨らんでいるのも、あちこちにある。これが尻一面に広がっている様子は、まるで大仏様の螺髪《らほつ》頭だ。

カの多い時季は虫除けが欠かせないが、肌に塗る忌避剤は匂いやベタつく感じが嫌だし、虫だけでなく皮膚にも悪いにちがいない。そこで私は、腰にぶら下げる携帯蚊取り線香を使いはじめた。

目的地に着くちょっと前に線香に火を点ければ、穴を掘ったりパンツを下ろしたりしているうちに、よい香りとともに煙が立ち上ってくる。蚊除けの効果と安堵感に加え、そんな線香の匂いの中での野糞は趣があり、夏をしみじみと感じるひとときだ。そして埋め戻しまで作業がすべて終わったら、線香の火は湿った地面に押しつけて消す。小さなことだが、こうすると線香の端は消し炭になり、次回の点火が楽になる。

一九九七年初秋、北海道のキノコ会に招かれた折に、虫除けにはこれが一番とハッカスプレーを教えられた。さっそく腕や首筋にスプレーしてもらうと、爽やかな香りに包まれ、涼やかでこの上なく気分がいい。カもほとんど寄ってこず、その効果のすばらしさにたちまち虜《とりこ》になった。それ以来、蚊取り線香とハッカスプレーを併用し、私の虫除け対策はほぼ完璧なものになった。

ほかにもヒルやダニ、ウシアブなどの血を吸いに寄ってくる虫たち。毒を持ったハチやムカデ、マムシ、ハブ。体力ではとても勝ち目のないヒグマやイノシシ。野糞で出会う可能性のある危ない生きものはたくさんいる。これらの中で私が痛い思いをしたヒル、ダニ、アブに関しては、カやブユと同様に、敢然《かんぜん》と戦うことにしている。無益な殺生は嫌いだが、これは生きもの同士の当然の生存競争だ。じつは一度、その最中にクロスズメバチに刺されたことがあるが、これは私の不注意で、知らずにその巣の上に穴を掘って野糞をしてしまった。このときはひたすら逃げに徹した。そしてもっと危険なマムシやハブ、イノシシ、ヒグマなどは、さいわいニアミスまでで被害を免れている。

言うまでもなく、これらの生きものたちの生息域に入るときは、充分な注意が必要だ。そして最も大切なことは、野糞をさせてもらいに林に入るのだから、たとえ被害に遭ったとしても、不注意だった自分が全責任を負わねばならない。まかり間違っても「有害動物駆除」などという本末転倒の愚かな行為に走ってはならない。「自己責任」とは他人に押しつける言葉ではなく、己《おのれ》を律するための崇高な理念のはずだ。

こうした生きものたちとの闘いは、体を張った自然との触れ合いだ。ときに命がけのこともあるが、そうした危険を含めた自然との一体感こそが、野糞の醍醐味だといえる。無機質なトイレという空間では決して味わうことのできない、生きものとしての本物のいとなみが、そこにはあるのだ。

●林の消失は我が身の「痛み」

いまにして思えば、自然保護運動をしていたころの私は熱くなっていたわりに、林(自然)そのものについては観念的にしか捉えていなかった。大きな森の存在は感じていても、細かな林相の変化や身近な小さな林の存亡にまで、いちいち心を砕いてはいなかった。

ところが毎日野糞をするようになると、林は私自身の生活の中に完全に組み込まれた。たとえ貧弱な林であっても、その荒廃や消滅が、我が身に起きている「痛み」として感じられるようになってきた。林がなくなればウンコもできなくなるわけで、それは「命にかかわる重大事」と言っても過言ではない。

写真取材や登山などで山に入っていれば、野糞の場所には困らないが、日常的にしようとすれば、まるで事情がちがってくる。ウンコのたびに外に出て、適当な場所を探さなければならない。雨天や夜間では、雨具や懐中電灯なども必要になり、それはそれは手間暇がかかる。おまけに下痢などすれば、緊急性まで加わって大変だ。だから、なるべく身近なところに野糞可能な場所を確保したい、と思うのが人情だろう。こうして林の存在は、観念としてではなく、私自身の生存にとってなくてはならないものになった。

さらに、林やちょっとした茂みの存在だけでなく、うまく人目を避けられるか、その中に入り込みやすいか、どんな植物（葉っぱ）が茂っているか、季節の移り変わりによる変化はどうか等々、さまざまなことが気にかかる。毎日の野糞の可能性だけでなく、どれくらい気持ちよくできるかということも重要だ。そして、林があることのありがたさに心底感謝するようになり、開発に伴う林の消滅は言うにおよばず、ほんの数本の伐採や茂みの刈り払いにさえ、胸が痛んでくる。

一九八〇年代、東京などへの行き帰りには、しばしば立ち寄る小さな林が二ヵ所、町外れと駅への途中にあった。自転車でほんの数分遠回りするだけでよく、宮内庁御用達ならぬ肛門様御用達のありがたい林だった。ところが、町外れの林ではつぎつぎに木が伐られ、住宅が建ち並ぶのにそれほどの年数はかからなかった。もう一方の林もしだいに荒れ果てて藪《やぶ》になり、やがて林に入り込むことすら困難になってきた。秘かに野糞をしている身であればだれにも文句を言えず、家を出る時間を早め、さらに山裾の林まで足を延ばす羽目に陥った。開発で安住の地を追い出される野生動物の苦悩はいかばかりか、察するに余りある心境だった。

偉そうに自然保護を叫んでいたころよりも、野糞に励むようになってからの方が、よっぽど親身になって林をいとおしんでいる自分を発見した。これこそ野糞の大きな効用である。

うんこへの思いを分類

［評論］

スカトロジーのために

（『スカトロジア（糞尿譚）』より）

山田稔

〟私見によればスカトロジーには
大別して二つのタイプがあるように思われる。
「陽のスカトロジー」と「陰のスカトロジー」、
あるいは
「解放型＝ルネッサンス型」と
「挫折型＝実存型」である。〃

うんこについて真面目に書かれている本は、うんこを科学的、文化的、社会的、人類学的な観点から見ているものが多いです。文学的な観点から真摯《しんし》にうんこについて語っているものは意外に少なく、その中でも『スカトロジア（糞尿譚）』は、なんとも素晴らしいです。

著者の山田稔は、元京都大学教授のフランス文学者で小説家。

スカトロジーの分類は納得感大です。

山田稔（やまだ・みのる）
1930－　フランス文学者、作家。北九州市門司生まれ。京都大学文学部フランス文学科卒業。京都大学教養部教授を1994年に定年退官し、名誉教授の称号を辞退する。小説『コーマルタン界隈』で芸術選奨文部大臣賞、エッセイ集『ああ、そうかね』で日本エッセイスト・クラブ賞を受賞。翻訳書に、ロジェ・グルニエ『フラゴナールの婚約者』、アレー『悪戯の愉しみ』など多数。共編著に『クラウン仏和辞典』。1999年、日仏翻訳文学賞受賞。

スカトロジーとあえて名づけるまでもなく、糞尿や排泄にたいする関心はわれわれの身近でさまざまな形態をとって示されてきた。

『厠考』（昭和七年）の作者李家正文《りのいえまさふみ》、あるいは稲垣足穂《たるほ》といった大先輩は別格として、文学では安岡章太郎、遠藤周作、開高健らの現代作家、漫画では加藤芳郎、鳥井かずよしらのこの方面での発言が週刊誌などでいくどか笑いを誘った。二年ほど前には『面白半分』が「糞尿譚」の特集を行い、金子光晴、長部日出雄、泉大八、久里洋二といった人達が寄稿している。

だが「スカトロジー」なる名称は果して市民権を得ていると云えるだろうか。名称だけでなく、そのものへの真剣な（ああこれこそクソ真面目だ）追及が行われてきたであろうか。

その意味で野坂昭如の『てろてろ』の冒頭に登場する「糞尿学者《スカトロジスト》ビン」の存在は忘れがたいのである。文学作品のなかにはっきりと「スカトロジスト」を名乗る人物が出現したというだけではない。ここには単なるウンコ話を超えたスカトロジーへの考察の萌芽《ほうが》が認められるのである。おのれの大便への牽引《けんいん》と反撥《はんぱつ》にみちた凝視を通してすべては大便から出直すべきではないかという認識に達するこの人物において、スカトロジックな関心ははじめて「糞尿譚」の域を脱して、いわば「哲学的」考察への一歩を踏み出したと云っても過言ではあるまい。だが残念なことにこのような試みはいままでのところ散発的なものに止まっているように思われる。

スカトロジーへの関心のひろがりは歓迎すべきことであるけれども、他方では流行にともなう通俗化、週刊誌の小話程度のものへの矮小化《わいしょうか》の危険性をも私は感じつづけてきたのであった。

日本には江戸文学、たとえば川柳や、古典落語などに見られるように、一方では尾籠《びろう》といって顔をしかめつつ同時にこの種の話題を愛好する風潮が民間風俗のうちに伝統として存在する。現実の生活面においても、ついこの前まで「田舎の香水」はわれわれにとって郷愁をさそうものであったし、都市化の急速に進む今日でさえ、いったん何らかの事情で汲取りがストップすれば糞尿騒動がもち上り政治問題化することは稀なことではない。

このようにわれわれは文化的伝統においても日常生活の次元においてもスカトロジックな環境に生きることを半ば強いられているとさえ云えるのである。ここから糞尿およびその付随物にたいする親近性あるいは一種の寛容性がいつしかわれわれには備わっていて、それがわれわれを糞尿譚好きにする一方、哲学的・思想的考察の対象としてのスカトロジーの確立をかえって妨げてきたのではないだろうか。

かつて安岡章太郎氏と語ったとき、氏は便所の水洗化にともないウンコへの関心が薄らいだ旨述べられたが、これは率直な、そして意味深い発言だと思う。水洗化にともない糞尿の即物性・具体性といういわば一次的・直接的動機の失われはじめた今こそ、むしろスカトロジーは新たな次元へ展開されるべき好機とも云えるのである。

ところで、さて、スカトロジーとは何なのか。糞便の臭気のもととなる物質スカトールに由来するといった類の語源的説明はさておき、「糞尿譚」、「糞尿趣味」、「糞尿学」等々と訳されるそのものに一貫している基本的要素はいうまでもなく糞尿（汚物）にたいする深い関心である。それは必ずしも愛好あるいは共感とはかぎらない。はげしい嫌悪・反撥に発した、いわば嫌忌《けんき》しつつ惹かれるといった屈折した形の関心もまたありうるに違いない。

ではそのような「関心」はどこから生じて来るのか。私はかつて、人間はおのれの排泄物にたいして郷愁に似た懐しさ、親近感をいだいているのではあるまいか、と書いたことがあるけれども、これはあくまでも怠惰な空想にすぎず、糞便はいまなお世間一般では汚物として嫌われ、蔑《さげす》まれ、あるいは嘲笑されているというのが実情であろう。

だが同時にこの世にはスカトロジックと呼びうるタイプの人間が存在することもまた否定しえぬ事実なのである。身近な例として幼児がそうである。排泄のしつけを受ける過程で幼児は糞尿に無関心でいられなくなる。ここから幼児的スカトロジーが生まれてくる。子供の詩や絵にしばしば現われるウンコ、シッコ、あるいはオナラのテーマを見よ。「おとな＝こども」たる現代の若者のウンコ漫画に向けられる関心は、あるいはこの幼児的スカトロジーの延長上にあるのではなかろうか。

幼児だけではない。「ねっから非暴力的で、人間の作るすべてのもののうちで思うにもっとも平和的な」ウンコを、なぜ世人はそんなに嫌悪し軽蔑するのかとウンコの名誉回復を訴えるドイツの詩人エンツェンスベルガーのような成人もまた存在するのだ。

このように見てくると、スカトロジーが文化のあらゆる領域を覆っていることが察せられるだろう。文学に限っても事は容易でない。さきに私は江戸文学のことに触れたが、過去を問題にするならば『今昔物語』さらには遠く『古事記』の時代にまで遡らねばならない。周知のように『古事記』にはウンコやシッコから生まれた神様のことが述べられているのである。

このような神話、あるいは民話、伝承文学における糞尿、いわゆる民俗学的スカトロジーについては日本だけでなく世界的規模において実例を蒐集《しゅうしゅう》、分析すべきであろう。この広大な領域について述べる資格のない私は、民族学者や文化人類学者の教えに俟《ま》つ以外に仕方がない。

そこで近代以降の文学についての乏しい知識をもとにして、私の頭のなかにおぼろげに浮んでいるスカトロジーの系譜について大ざっぱに述べてみることにしよう。

私見によればスカトロジーには大別して二つのタイプがあるように思われる。「陽のスカトロジー」と「陰のスカトロジー」、あるいは「解放型＝ルネッサンス型」と「挫折型＝実存型」である。

前者すなわち「解放型」の代表的な例として『ガルガンチュワ物語』『パンタグリュエル物語』で有名なフランソワ・ラブレーがある。さらにこの系列に属すると見なされるものとして『デカメロン』のボッカチオ、『カンタベリ物語』のチョーサー、『風流滑稽譚』のバルザックらを挙げることができるだろう。これらの特徴は、糞尿譚によってひきおこされる笑いの明るさ、無邪気さである。ここでは糞尿イメージは象徴性をほとんど帯びることはない。「汚物」をあえて描くことによる社会風刺、あるいは清浄へのパロディの意図はあっただろう。だがいま読んで感じられるのは「そのもの」のおかしさである。そもそもその時代においてそれは「汚い」ものだったのだろうか。

この系列は二十世紀に入ってからは衰微《すいび》の傾向をたどるようだ。個人と社会の関係の変化がルネッサンス的な大らかな笑いを不可能たらしめたのである。わずかに『北回帰線』や『暗い春』のヘンリー・ミラーのうちにラブレー的世界への憧憬《しょうけい》をみとめることが出来るかもしれない。

それに代って二十世紀に入って台頭するのが「陰の」スカトロジー、すなわち「挫折型」である。これは「反逆型」と云いかえてもよい。この系列の始祖というか最も古い代表として十八世紀のアイルランドの作家スウィフトと、フランスの作家サドの二人を挙げておこう。スウィフトとサドの二人を同系列に置くというのは異論のそしりを免れないかも知れないが、ここでは両者の相違については触れない。

この二人のうちサドの系列はフランス・スカトロジーの主流をなし、二十世紀後半に入り実存主義文学と結びつく。『花のノートルダム』のジャン・ジュネ、『夜の果ての旅』のセリーヌ、『眼球譚』のジョルジュ・バタイユ、新しいところで『気象《メテオール》』のミッシェル・トゥルニエらがその例である。沼正三の『家畜人ヤプー』もこの系列につらなる。この派においてはしばしばスカトロジーはエロチシズムの変種と解釈されているが、スカトロジーとエロチシズムとの間に一線を画すのが私の基本的立場なのである。

見落されがちなのはサドにおける反社会性、フランス革命期におけるそのラディカルな反逆性などの動機であり、この点においてサドと『ガリヴァー旅行記』の作者とは結びつきうるのではないか。

サド＝スウィフト系列のスカトロジーにはもはやルネッサンス的笑いの明るさは感じられない。ラディカルな反逆性とそれゆえの深い疎外感、挫折意識、あるいは狂気すれすれの人間嫌い、——この系列のスカトロジックなイメージは多少ともこのような暗い不幸の意識が生み出したものなのだ。同時代の批評家から「スカトロジック」と軽蔑されたゾラは勿論のこと、『放屁論』の作者、風来山人こと平賀源内までも唐突ながら私はこの系列上に置いて考えている。

現代アメリカ文学も無視することはできない。紙面の都合上列挙するにとどめざるを得ないが、『裸のランチ』のウィリアム・バローズ、『マジック・クリスチャン』のテリー・サザーン、『なぜぼくらはベトナムへ行くのか』のノーマン・メイラー、『ポートノイの不満』のフィリップ・ロスらユダヤ系ブラック・ユーモア派の作家の、何らかの意味で深い反逆や挫折と結びついたスカトロジーは重要である。我国の転向文学のいくつか（田中英光《ひでみつ》、高見順、武田泰淳《たいじゅん》ら）、戦時中の朝鮮人徴用工の絶望的状況を描いた金石範《キムソクポム》の『糞と自由と』、長詩『糞氏物語』の金芝河《キムジハ》らも同じ範疇《はんちゅう》に入る。そして私がいま最も重視しているのは「ブラック・スカトロジー」とも名づけうるこの種のスカトロジーなのである。

第六便

うんこのせつなさ

生きる基本である排泄
そこには生きるかなしみが……

トイレを使わせてもらえない

［韓国文学］

半地下生活者

ヤン・クィジャ（梁貴子）

［斎藤真理子 新訳］

〝人間らしいことをできなくさせたのは誰なんだ。
彼はぎゅっと下腹を押さえてうずくまった。
額には汗が噴き出し、
腕には粟粒のように鳥肌が立った。〟

映画『パラサイト半地下の家族』で、韓国の半地下の部屋を初めて知った人も多いでしょう。その部屋にもトイレはありました。この短編に出てくる半地下の部屋には、トイレもありません。大家《おおや》さんに借りるしかないのですが、貸してくれません。では、どうしたらいいのか？　個人の生理、社会の構造、人間の尊厳、そうしたいろんなものが腹の中で渦巻《うずま》きます。ぜひ収録したいと、惚《ほ》れ込んだ作品です。

ヤン・クィジャ（梁貴子）
1955－　全羅北道全州市生まれ。小説家。大学を卒業した1978年に月刊文芸誌「文学思想」の新人賞を受賞し、デビューする。その後、小説やエッセイを多数発表し、1988年『ウォンミドンの人々』で柳周鉉文学賞、1992年『隠れた花』で李箱文学賞、1996年『熊物語』で現代文学賞、1999年『沼』で21世紀文学賞を受賞した。現在はHongJi書林の代表を勤めている。 邦訳に『ウォンミドンの人々』（崔真碩訳、新幹社）がある。

目が覚めたが、時計は見なかった。わざわざ電気をつけて確認しなくとも、腕時計の針は間違いなく早朝四時を指しているだろう。彼の時計は五分ほど進んでいる。四時ちょうどになるまでにはあと五分待たなくてはならない。もっとも、四時ちょうどまで待つべき理由は一つもなかった。にもかかわらず、彼は息を殺して外の様子に耳を澄ましていた。四時になると、遠美山《ウォンミ》のふもとにある釋王寺《ソグアン》が鳴らす鈍い鐘の音が聞こえてくる。続いて、あたり四方の教会がてんでにチャイムを鳴らしはじめるのだ。彼はいつも、五分早く目を覚ましてその音を待っていた。

五分はのろのろと流れた。明け方とはいえ、一筋の光も入ってこない地下室には重たい暗闇だけが充満している。侘《わび》しくなるような暗闇の中で彼は寝返りを打った。それから壁に向かって横向きに寝た。湿気を含んだ壁紙からウッと息が詰まるようなカビ臭さが漂い、一瞬、彼に顔をしかめさせた。壁だけではない。じめじめした布団からも匂いがする。どこからも水漏れはしていないのに部屋全体が湿っぽかった。寝返りするたびにバサバサと音を立てる、パリッと糊のきいた木綿の布団カバーをかけて寝たのはいつのことだったろうか。流れ去る記憶をつなぎとめておこうと必死になりながら、彼は伸ばしていた足をそっと曲げた。そして体を丸めた。

無視しようとしても、便意が次第に強くせり上がってくる。彼は弓を引き絞るようにきりきりと体を曲げたまま、臭気のする敷布団に顔を埋めた。湿っぽい布団カバーが顔にべったりと貼りつく。彼はもう一度顔をしかめた。するど、待ち構えていたように釋王寺《ソグアン》の鐘の音が鳴りだした。鐘の音はまるで地の底から響いてくるかのようだった。そこに寺があると知らなければ間違いなく、地底のどこかで初めて仏様を拝むために集まってきた魂魄《こんぱく》を呼ぶ声と思うだろう。彼はいっそう体を縮め、耐えられるだけ耐えてみようと力を振り絞った。夜の間に冷えた体がすぐに熱を帯び、背中には冷や汗がにじんだ。もうこれ以上はたまらない。ついに彼はガバッと体を起こし、床に脱ぎ捨ててあった作業服のズボンに足を突っ込んだ。

いつものことだが、今日もまたトラック一台とチョコレート色の自家用車が並べて停めてある。道路側からの視線は車が遮《さえぎ》ってくれるし、もう一方の側には自分が住んでいる「むくげアパート」の壁があって完璧に隠してくれる。自分のものだとはっきりわかっている汚物を踏まないように気をつけながら、彼は車の後ろに回った。闇は徐々に薄れつつあったが、まだ足元が見えるほどではない。チョコレート色の自家用車の後輪のそばにうずくまって、彼はふと空を見た。さっぱりと顔を洗って出てきたような清らかな明けの星たちが、仲むつまじく集まって彼を見下ろしていた。

用を足して車の後ろから出てきた彼が「サニー電機」の前を通り過ぎるとき、少し前から自転車が走ってきた。荷台には朝刊が積んである。自転車に乗っている少年の足が短いため、サドルについているべき尻が空中に浮いて、ひどく危なっかしく見えた。少年は彼の前で停まった。六十四番地の建物の施錠された門扉のすきまに新聞を押し込んでから自転車に飛び乗るとき、少年は不安そうな視線で彼の方を見た。早朝のまだ暗い時刻に、何をするでもなく町をうろついている一人の男をちらっとにらむと少年はまた遠ざかっていった。六十四番地の門扉が閉まっているのを見ると、彼は平気ではいられなかった。

一階には「遠美《ウオンミ》紙店」と「幸福写真館」が入居し、二階にも二世帯以上が住んでいるこの建物は従来、戸締まりされていたことがなく、いつでも門扉を押して出入りすることができた。彼は何度かそこの一階のトイレを利用したことがある。だが、いつの日からか、夜が更けると門扉に鍵がかかるようになった。「サニー電機」と「江南《カンナム》不動産」が入っている六十五番地の建物もいつからか戸締まりを始めた。その隣の「ウリ精肉店」と「ソウル美容室」の入った建物も同様だ。その理由を彼は知らないではなかった。＊遠美洞《ウオンミドン》一帯の鉄の門扉が施錠されているのを一つ一つ確認してから、彼は引き返した。

地下に降りる階段は傾斜が急で幅が狭い。暗い階段を一段ずつ目分量で降りていって転がり落ちたこともある。階段をすっかり降りると、大家のがらくたが積み上げられた狭い通路に出る。たどたどしく部屋のドアを手探りしていると、ぬっと飛び出した煉炭ストーブの煙筒に脇腹を突かれたりする。部屋のすぐ横には水道の蛇口が一つ突き出していた。下水口もなく、単に、最低限必要な水を汲むことができるというだけだ。使った後の残り水はバケツにためておき、外へ運び出さなくてはならない。しかも給水は隔日なので、水汲みの日を忘れてはならないという煩雑さまでつきまとう。ドアを開けると、むっとしてウッとなる匂いが一気に押し寄せてくる。室内にいるときは鼻が麻痺して感じないが、外から入ってきたときまず最初に彼を迎えるのはカビ臭さだ。ほとんど天井に届きそうなところに小さな跳ね上げ式の窓が一つあるにはあるが、ひどく小さいので換気はできなかった。この窓は、外から見るとほとんど地面すれすれにある。路上の土埃や雨水ですっかり汚れ、埃のせいでガチガチに固まった窓枠は、開け閉めするのに大変な労力を必要とした。

この地下室に引っ越してきた日、彼はまず椅子に上り、跳ね上げ窓のガラスに白い紙を貼る作業から済ませた。周囲にはコノテガシワの木の垣根がめぐらされ、また前方はカンじいさんの野菜畑なので、のぞき見されることもなさそうだったが、無防備に人目にさらされるのは避けるべきと思ったのだ。彼は夜になると椅子に上って窓を閉めた。夏にさしかかり、ただでさえ息の詰まるようなこの部屋はいっそう蒸し暑かった。それでも窓を開けっ放しで寝たくはない。遠美洞じゅうの野良猫や恐れを知らないネズミどもが、彼の顔を踏んづけて走り回るかもしれないのだ。ひょっとして、方向感覚を失った酔客がその窓目がけて放尿しないとも限らない。

まだあと二時間くらいは寝られると計算してから、彼は再びじめじめした布団に横になった。上階のどこかで誰かが蛇口をひねったらしい。たちまち、水が迸《ほとばし》り出るやかましい音が真上の天井から聞こえてきた。一度覚めてしまった眠りはなかなか戻ってこない。彼は闇の中で、地面の上から聞こえてくる音の全部に当たりをつけてみた。早朝から食事を作っている女は誰だろうと、余計なことも考えてみた。水道の音は真上から聞こえてくるけれど、一階ではないだろう。彼が寝ている真上にあたる「むく

＊「洞」は韓国の行政区画の一つで日本の「町」にあたる。この短編は、ソウル近郊にある富川（プチョン）市の遠美洞の人々を描いた連作小説集の一部。

げアパート」の一〇二号室は、彼の大家さんの家だった。

「むくげアパート」の一階の住人たちにはみんな、ここと同じくらいの広さの地下室が割り当てられている。たいていは倉庫にしているが、ときおり家族の多い家では、子供の勉強部屋など、部屋として使うこともある。または、寝るためだけに帰ってくる工員に貸す家もあった。賃貸に出す場合には必ず、大家の住まいの玄関の鍵を渡さなければならない。地下にはトイレがないからだ。だが、誰でもそうだろうが、四六時中ドアをガタガタされるのが好きな人はいない。家を留守にするときは、鍵を持っている地下の住人のことが気になったりもする。そんなわけで、どうしてもお金が要るという家以外、地下室を賃貸に出すことは減っていった。

彼もまたここを借りるとき、便所の使用に関する権利を主張してはみた。契約のときに会った女主人は、何歳だか見当がつかないほど若い服装だった。体にぴったり貼りつくジーンズをはき、丸いイヤリングをぶらさげ、契約金を数える爪には真っ赤なマニキュアが塗られている。娘一人を抱えて独り身で暮らしているというその女は、ショートカットの髪を手櫛《てぐし》でかき上げながらこう言った。

「心配することありませんよ。私はめったに家を空けませんから、鍵は必要ないでしょう」

だが、女は決してドアを開けてくれなかった。留守にしているのではない。家にいるのに、彼がどんなに差し迫った事情で苦しんでいるかよく知っているのに、ドアを開けてくれなかった。金が必要で地下室を人に貸したのなら、こんなことは絶対にあってはならないはずだ。彼は急に女の真っ赤な唇と自然な微笑を思い出し、体をぶるぶる震わせた。眠りたいときにこんな敵意に満ちた回想は禁物なのだ。彼は努めて他のことに思いをめぐらせた。今日は、そうだ、今日は月給日だ。パリパリの一万ウォン札を思い浮かべて彼は目をつぶった。すると、日々の暮らしに必要な金額の明細が映画の字幕のようにさーっと脳裡を流れていき、また憂鬱になってしまった。ちゃんと眠れなかった日は間違いなく革包丁で手を切るという事実を思い出しながら、彼は小さい子供のように胸に手を乗せて仰向《あおむ》けに寝てみた。

寝つくまでに時間がかかった翌日は、起きるときがいっそう辛いものと決まっている。工場では今、注文が集中しているので、普段より出勤時間が早められていた。やっとのことで眠気を振り払って立ち上がったときにはもう七時半になっていた。ざっと顔だけ洗って駆けつけるのに二十分ほどかかってしまうが、工場前の食堂で十分で朝飯を済ませればかろうじて遅刻は免れるはずだ。昼は別として、朝と夜は食堂の五百ウォンの定食と決めている彼だった。それだって少なくはない金額だが、最近のように残業続きだと、夕飯も工場で出してくれるので食事代は安く上がる。

稲妻のように素早く顔を洗ったが、タオルが見当たらない。やっと見つけたタオルからは悪臭が漂っている。薄暗かったが、昼間は電気をつけないのが彼の習慣だった。とはいえ朝が来れば薄汚い室内風景が残らず目に入る。服を着ながら彼は足で布団を部屋のすみに寄せた。靴下は昨日のをまたはくしかないが、仕方ない。残業続きで洗濯する時間がないからだ。水捨てさえ簡単にできるなら、靴下やタオルぐらい、いつだって手洗いできるのに。もっとましな部屋を探さなくちゃ。そんなことを言っている段階はとっくに過ぎたと、結論はもうはっきり出ているのだが、彼は改めて自分の部屋を見回した。

工場に降りていく階段もまた急で狭かった。地下はどこもみんなそうなのだ。二階に上がる階段は広くて安全だが、地下へ降りる階段は今にも転ばせるつもりで設計されているみたいだ。この場所はもともと、スーパーの倉庫として使われていたそうだ。建物自体がスーパーに使う予定で建てられたため、その一角には当然、商品を貯蔵する地下倉庫が造成されたわけである。だがスーパーは予想以上の経営不振で、オーナーとしては、在庫の確保にお金をかけられる状態ではなかった。陳列台に並べた商品さえ埃をかぶっているありさまなのだ。

その一帯は、取り壊しを待つばかりの古い工場が広大な敷地を占める、工場地帯でもなく住宅街でもない地域だった。彼が部屋を借りているのも遠美洞《ウオンミドン》で、ここもまた行政区画としては遠美洞だ。彼は毎日十分あまり歩いて工場に通っていたが、いわば毎日毎日徒歩で遠美洞の端から端へと横断しているわけだった。遠美洞の向こうの端の地下でうずくまって眠り、やっと地上に上ったかと思えば、こっちの端まで来るとまた腐った空気でいっぱいの地下へ降りていく、そんな生活が彼の毎日だった。

実際、工場内の空気は腐っているとしか表現のしようがなかった。彼が工場に入っていくと、仕事前にみんなが吸うタバコの煙がいっぱいに立ち込めていた。換気扇が一個、懸命に回ってはいたが、間に合うわけがない。それでも、生地から出る嫌な匂いが抜けてくれるだけでもありがたいというべきだった。とはいえ最近は透明ビニールの生地ばかり扱っているので、ちょっとはましな方である。染色加工したレザーやカーペットを扱っていたころは、鼻がひりひりして鼻水がずるずる出た。

まだ社長が来ていないのを確認した彼は、水道のところへ行ってまずうがいをした。ムン技師とオートバイ運転手のチョンさんはまだ出勤していないらしい。ムン技師は結婚して家庭を持っているのでよく遅刻するが、オートバイのチョンさんはめったに時間に遅れることのない人だった。いつもぶつぶつ不満を言っている割に遅刻も欠勤もしないのがかえって変に思えるほどだ。彼は腕時計を見た。八時十分だ。時計は五分進んでいるので、今は八時五分というわけだ。いつもならこの時間には、パク君は生地の前に、ナさんと彼は裁断台の前に、ムン技師とペ技師は高周波溶着機の前に座っていなくてはならない。注文量が増えて以来、社長がうるさく言わなくてもみんながそうしていた。

「始めないんですか？」

彼は誰にともなくそう尋ねながら、自分から裁断台の前に座った。自分の席についているのは、高周波溶着機を扱うペ技師だけだ。太い黒縁めがねのせいで、彼はややもするといかめしい大学教授のように見えた。風采もなかなか立派なので、みんな彼をペ博士と呼んでいる。確かに、高周波溶着機を扱う彼の腕前はゆうに博士のレベルに達しているともいえそうだ。そのペ博士も仕事に取りかかっていない。すぐに来るはずの社長を恐れる気配もなく、ペ技師は新しいタバコに火をつけた。パク君は初めから生地の束にもたれて寝そべっており、ナさんはいつもの癖で壁についている小さな鏡をのぞき込み、のんびりとにきびをつぶしているところだ。とにかく、いつもとは雰囲気が違う。

「仕事しないんですか？」

今度はペ技師に向かって尋ねた。

「上で交渉中なんだ。社長もそこにいるよ」

ペ技師の鼻の穴からタバコの煙がふーっと出てきた。

「ストライキ。俺たち、抗議することにしたんですよ」

野球とサッカーが大好きなパク君が補足説明をした。

「お前、昨日何で来なかったの？」

ナさんがとがめるように問いかける。昨日、残業が終わった後、一杯やろうとオートバイのチョンさんが飲み会を提案したのだが、その席で謀議が行われたらしい。彼は酒をたしなまなかった。タバコもやらなかった。人のやることを全部真似していたらまともな生き方などできっこないというまじめな考え方が、少年時代からの彼のモットーだったのである。

「よりによってこんな忙しいときに……」

言い終えるより早く、ナさんが彼を非難した。

「何言ってんだ……忙しいときだから効果があるんじゃないか。オートバイのチョンさんはすごく頭がいいからな。あの人の言う通りにしていれば、俺たちにもいいことがあるさ」

ナさんがまた鏡に顔を映した。革包丁に伸ばした手を止めて、彼はもう一度、今日がストの日だということを確認した。

「ほんとに仕事しちゃいけないんですか？」

「そういうことだ……。ちょっとしたらチョンさんが結果を報告しに来る。あの人が来るまで待てよ」

ペ技師はのんびりと椅子にもたれかかった。そのとき電話が鳴った。今日の初の注文だろう。朝から電話がじゃんじゃんかかってくる日は、納品で目が回るほど忙しい一日になる。ナさんがメモ用紙に注文量を書きとっていた。

「はい、エクセル*だけ三十枚ですね。わかりました。社長が来ましたらすぐ電話いたします。はい？　ルマンは切ったのがなくてですね。五枚もあったかな……はい……。ではルマンは十枚……」

受話器を置いてナさんが肩をすくめてみせた。注文は受けたものの、今日の作業がどうなるかは予想がつかない。催促に悩まされる社長の顔色の悪さを想像すると内心、やりきれない気もする。多分、社長は自分一人でも裁断と高周波処理をやってしまうだろう。だからといって、やいのやいの言ってくる取引先の人たちのやかましさにはかなわないだろうが。また電話が鳴った。今度もエクセル二十枚追加だ。どういうわけか、新車が発売されてもエクセルの注文が減ることはなくそのまま続いている。何分もしないうちにまた電話が鳴った。午前中はいつもこうだ。ナさんはいやいやをするように首を振りながら電話を取った。彼は無意識に革包丁を握っていた。はさみで生地を切り分ける係のパク君もそっと体を起こした。ナさんが受話器を置いて文句を言った。

「どこのどいつが今どきポニーに乗るんだ？　おい、パク君、ポニー用に裁断したのがあるか探してくれ。参っちまうな。五枚あればいいって言うんだが。ペク博士、裁断してあるのは売ってもいいんでしょ？」

ストライキなどやるのは初めてなので、みんなとまどっていた。ペ技師のような熟練工も、注文の電話が殺到するともう機械の踏み台に足を載せていた。

「ポニーのはないですね。メプシなら在庫が結構ありますけど……ステラも……」

仕切りの後ろから出てきてパク君が手を振ってみせた。

最近、ポニーやメプシはぱったり注文が途絶えていた。乗用車のカーマットを作る

＊エクセル、ルマン、ポニー、メプシ、ステラはいずれも一九七〇～八〇年代に販売されていた韓国車の車種。

のが彼らの仕事である。運転中に埃が入ってくるのを防ぎ、車内の高級感を増す効果があるため、カーマットは今や必需品と認識されている。そのため、新しい車種が出るたびに作業内容も変わるものと決まっていた。しばらく前まではステラのカーマットを作るのに大わらわだったが、その後ルマンが売り出されるとステラはもうおしまいだ。ルマンとともに、最近はエクセルが主要品目だ。エクセルのカーマットは小さいので生地も少なくてすみ、手間もかからないので効率がいい。次はまたどんな名前の新車が出るのか、そうなったら、慣れない形に裁断するのに慣れるまで何度も革包丁で手を切るだろう。

電話対応で忙しく、にきびをつぶす手が止まっていたナさんの顔は花盛りだった。二十五歳だというが、にきびだらけで高校生のように子供っぽく見える。電話が鳴るといつの間にか緊張してくるので、それをほぐすために彼らは要らない雑談を言いつづけた。

「赤いルマン、見ただろ？　赤のルマンにはよく女が乗るんだって。サングラスなんかサッとかけてさ、かっこいいよな」

ペ技師がありもしないひげを撚《よ》るような真似をしてみせた。実はムン技師よりも二歳年下なのだが、ひどく世慣れた様子に見えるので、気難しいムン技師さえ彼にはぞんざいな口がきけなかった。早く結婚したため上の子がもう中学生だというペ技師は、この工場の古株といっていい存在だ。もともと、社長が高周波溶着、ペ技師は裁断という分担でスタートした工場なのだ。

「俺たちは必死で敷物を作ったって人の車にも乗せてもらえないのに、女房に赤いルマンを買ってやっていい顔するやつもいるんだからなあ……いやあ、つまんねえよなあ」

ナさんが赤い顔をこすった。

「あ、そうだ、スーパーのおばさんが、便所はきれいに使えって言ってましたよ。でないと便所に鍵かけちゃうよって、すごくいらいらして」

パク君の言葉だ。便所は、地下を入れて三階建てのこの建物に一か所しかない。しかも男女共用だからいつも人が入っている。ただでさえ、工場の男たちは便所を使いすぎだとおばさんからの苦情が絶えないのである。社長まで入れて男が七人。夏場には小便をしに行くにもスーパーのおばさんの目が気になる。よりによってスーパーのレジからよく見えるところに便所があるのだ。使用する人がとても多いので、便所が清潔なわけがない。だからといって、溜まった仕事を放ったらかして便所掃除をしに行くのもできない相談だ。

「トイレにはお前がいちばんしょっちゅう行くじゃないか？　掃除当番もやれよ」ナさんが皮肉っぽく言った。早朝からの辛い便意をもてあまし、工場の便所が使えるうちに用を済ませようと何度も便所に通う彼である。だが妙なことに、どう頑張っても思うようにはいかなかった。結局はまた早朝に目を覚まし、ヒーヒー言いながら大便のできる場所を探すことになるのだ。ヒーヒー言いながら、と自分で表現してみてから彼はふと自分でも呆れてしまった。犬みたいにヒーヒー言ったりしたくないのに。彼は改めて、赤い唇の大家の女を恨んだ。

社長の家の玄関わきの小部屋に寄宿していたときの方がまだよかったと彼は思う。社長とはいえ目立って生活レベルが高いわけでもなく、普通の家だった。教育を受けさせなくてはならない子供も多いし、女房は病弱だ。浮き沈みの末に溜まった借金も少なくない。最近注文が増えたとはいえそれで借金が返せるのかどうか、彼はオートバイのチョンさんが言った次のような言葉を思い出して首をかしげた。

「もともと雇い主ってのは泣き言を言うもんだ。社長の話を全部まともに聞いてちゃだめだよ。前にここで働いてて辞めたユン技師が、工場を構えたんだって。そっちでも今仕事がいっぱいあって、人手が足りないそうだ。ここを首になっても怖くないさ。何人でも連れてこいと言ってたぞ。何人でもな……」

オートバイのチョンさんがユン技師の消息を伝えてくれたのはしばらく前のことだ。それを当てにしてやったストライキだろうと想像はつく。社長の家で何か月か暮らしてみた彼は、単なる泣き言では済まされない内部事情を感じていたので、オートバイのチョンさんの話を全面的には受け入れられなかった。

ムン技師とペ技師が品物を作ると、チョンさんがそれを梱包して配達に回る。配達のためほとんど工場にいる時間のないチョンさんだ。彼のオートバイ運転技術はすばらしかった。前にいた配達人はたびたび交通取り締まりに引っかかって罰金を取られていたが、チョンさんにはそんなことがない。地下にこもって休む間もなく働く彼らに比べ、当然ながらチョンさんは小耳に挟む話も多かった。もらい聞きが増えるほど不満も増えるのがならいというもので、チョンさんはいつも、世間の決まりごとのありったけにくどくど文句を言っている。今も二階の中国料理店でチョンさんは、社長を相手に不平を並べているのだろう。ムン技師が一言も口をはさまずチョンさんの言うことに相槌を打っているのは、見なくてもわかる。この二人はもともと調子が合うのだ。チョンさんの発言はすなわち、ムン技師の気持ちも代弁したものと見てよかった。

二人はそうだとして、この突然のストライキに社長はどんな顔をしているだろう。

カーマットを製作する他の会社に比べて特にケチでもなく、どこから見ても普通の待遇をしてやっていると信じて疑わない社長である。そして、その信念は間違ってはいなかった。社長自身もこの業界で一介の臨時雇いからスタートした人で、自分が見て経験してきた通りにやっているだけだった。わずか何か月か前までここで高周波溶着機を扱っていたユン技師が今は社長になっている。それを見ればわかるように、この業界では社長だからといって特別なことなどないというのが彼の意見である。社長は多分、顔をしかめてぷかぷかとタバコばかりふかしながら座っているだろう。青年時代にプレス機で右手小指の先を切断して以来、社長はずっと左手でタバコを吸い、左手で乾杯をしていた。

「いったいあいつら何やってんだ。さっさと決着をつけて腰を上げるべきだろ。仕事が押してるのに、これじゃじれったくてやってらんねえ……」

また一しきり電話に対応したナさんの言葉だ。言うまでもなく、みんなも上のことが気になってむずむずしているところだった。

「行ってみてください。ペ博士が様子を見てきてくださいよ」

パク君がそう言うと、ペ技師は手を振って否定した。

「いや、俺は行かないよ。キム社長のしかめっ面なんぞ見てられない。ただでさえ俺のことがいちばん憎いだろうからな。裏切り者呼ばわりされちまう」

そのとき、入り口の方からやかましい足音が聞こえてきた。階段が急なので、上り降りする靴音がガンガン響いて地下を揺らすのだ。しかしいざ現れたのは、チョンさんとムン技師だけだった。残っていた者たちは首を伸ばして後ろを見たが、社長は降りてこなかった。

「どうなった？」

ペ技師が聞くとチョンさんが首を振った。ムン技師が手を首に当ててすーっと横に引く真似をしてみせた。

「好きにしろだと。注文がこなせなくて信用を落とそうが、商売上がったりになろうが、だめだそうだ。くそったれ。朝からじくじく蒸すなあ、ああもう、暑い」

チョンさんは予想よりはるかに萎縮した表情だった。

「私たちの要求って何だったんです？」

考えてみると彼は、自分を含めたこちらの要求内容すら知らないのだった。パク君がひどくもどかしそうな様子で「定期ボーナス三百パーセント！」と叫んだ。一瞬、彼の頭の中はぱっと明るくなった。ちょうど豆電球が一個ぴかっとついて、すぐに消えるような感じだ。

「社長は他に工員を募集すると言って出かけたよ。頑として譲らないんだ。オートバイのエンジンをかける音までやかましいんだぜ」

ムン技師もひときわしょげた声だった。

「どうしましょう?」

パク君が心配そうな顔でみんなを見回した。

「どうって。最後まで押し通すのさ」

チョンさんが首謀者らしく大声を上げた。

「誰か一人残ることにして、残りはみんな出よう。月給は午後にくれるそうだから、それまでサボタージュだ。心配ないよ、最近、人集めは容易じゃないんだから。五時までにここに集まろう」

「私が残ります」

彼が名乗り出た。

「まさか仕事するつもりじゃないよな?」

チョンさんが念を押した。

「じゃあ、全員で出ればいいじゃないですか」

ナさんが口をはさむ。

「完全に留守にはできないから、やっぱり一人は残った方がいい。君が残って電話に対応してくれ」

ペ技師が決定を下した。

「ビリヤードでもしましょうや」

そんなナさんの提案に、パク君とペ技師が賛成した。

「あのー、チョンさんは、ユン技師さんが立ち上げた工場には行かないんですか？」

パク君が泣きそうな顔でチョンさんに言った。

「うるさいなあ、こいつ。ここ以外じゃ食っていけないと思ってんのか？　責任は取ってやるからそう思っとけ」

チョンさんが声を張り上げた。

「その通りだ。とにかくこの機会にちょっと休もう。最近肩や腰が痛くて、これじゃ仕事にもなりゃしない」

ペ技師が先に立って出ていった。

みんなが出かけた後、彼はがら空きの工場の中をぐるっと見回して、裁断台の椅子に腰かけた。ともあれ自分の定位置は落ち着く。もう昼飯の時間を過ぎていた。昼はいつも社長が提供してくれている。上の階の中国料理店か、向かいの食堂から順に出前を取るのだが、今日はどうするのだろう。仕事もせずのうのうと遊んでおいて食事だけするなんて、彼にとってはありえない。昼飯どきには電話も静かになった。一食ぐらい抜いても困りはしないという気持ちで、彼は退屈しのぎに高周波溶着機の前に座ってみた。

裁断師の月給より高周波技師の方がずっと収入が多い。裁断は、単に手首を柔軟に動かせばいいだけの仕事だ。力の強い若者なら一度に何枚も切り出せるので、年が若いほど有利だという以外、特に何ということもない。みんな最初は必要な幅だけはさみで生地を切り取る仕事からスタートし、初心者が一人、二人と入ってくると、すぐに裁断台に座らせられる。車種別の見本を先に作っておき、それに合わせて革包丁でぐっぐっと押さえつけるようにしてカットしていくのが裁断師の仕事だ。

社長は前から、仕事がさばききれなくなることを憂慮して、高周波溶着機をもう一台入れたいと言っていた。新たに技能工を雇わないとすれば、ナさんか彼のどちらか一人が機械を担当することになるだろう。ナさんは工員としての経歴は長かったが、この職種では初心者と変わらない。彼はもう二年もここで働いている。任せてさえくれれば、ペダルを踏んで金型を打ち込むことぐらいできないこともないと思う。それで収入が増えたら、と思いながら彼は右足に力をこめて金型を降ろし、また左足をペダルに載せて電気を入れてみた。月給が増えたら積み立て預金を一つ始めることができる。積み立てまでは無理でも、関節炎で苦しんでいる田舎の母さんの薬代ぐらいはもっとたくさん送金してやれる。いや、何より、地下室を出てもう少しましな部屋を借りられるかもしれない。少なくとも安心して使用できる便所のあるところを。

初めから、大家の女の話をうのみにしたのが失敗だった。とはいえ、部屋を紹介してくれた江南《カンナム》不動産のパクさんの話も信じるしかない彼だった。

「地下だから安いんではなく、トイレが不便だからという理由で安く出とるわけだ。なあ、お若いの、あんたも部屋を探して歩き回っただろうが、これだけの部屋がありましたかい？　部屋というのは金しだいだよ。この値段でこれだけの部屋を借りられたら、掘り出し物と思わにゃ。ここのおばさんは出歩く方じゃなく、家にばっかりいるそうだから、トイレにはいくらでも行けるじゃろ。別々に鍵を持ってお互いに疑っているより何倍もいいんじゃないかね」

引っ越してきた翌日の朝、ちょっと早いかなと思ったが、彼は一階に上っていってブザーを押した。十歳にはなっていそうな娘もいるのだから、登校の支度のためにも起きているはずの時間だった。だが、何の気配もしない。故障かなと思って耳をすませてみると、確かに室内にブザーの音が広がっていくのが聞こえる。まだ寝ているのか留守なのか、そんなところだろうと思われたが、引き返すしかなかった。けれども朝飯前に大便をするという習慣を急に変えるわけにはいかず、彼は考えあぐねた末に工場の便所を使うことを思いついた。下腹をぎゅっと押さえてあたふたと走っていったが、スーパーのシャッターが閉まっていてお手上げだった。スーパーが開かないとトイレが使えない。工場の出入り口とトイレのドアが別だからだ。冷や汗を流しながら耐え抜いたが、事情は翌日も同じだった。一階の大家の家は鉄壁のように閉ざされていた。いくらブザーを押してもびくともしない。もしや長時間家を空けるような用事ができたのかと、夜、仕事帰りに大家のところに寄ってみた。やはり応答はなかった。

声だけでも聞くことができたのは、何日も後の夜のことだ。今日もまた留守だろうかと思っていると、しばらくして思いがけず大家の女の声が聞こえてきた。

「どちらさま？」

「あの、地下室に引っ越してきた……」

「はい……何のご用でしょう？」

何のご用かとは呆れてしまうではないか。しかもドアも開けてくれないままだ。

「トイレに……」

彼が言い出すと、女がいきなりひどく驚いてみせた。

「あら、今シャワー中なので困るんですけど」

彼は思わず顔を赤らめた。それでは今、玄関のドアを挟んで裸の女と向き合っているというわけか。

「今は大丈夫です。朝、七時か八時ごろに……」

「わかりました。ではそのときに」

翌朝、彼は相変わらず返事のない玄関の前で下腹をぎゅっと押さえて立っていた。昨日言ったことをすっかり忘れているのか、朝寝坊なのかまるでわからない。その日以後も彼は何度となく、大家の家のドアの前で空しく立ちつくしては引き返さざるをえなかった。それではあまりに殺生というものだが、幸い、近所の店舗兼住宅の離れの共同便所が随時使えることがわかってきた。深夜や夜明けにこっそり他人の家の便所を使うことを覚えてからは、あえて一階の一〇二号室に上がっていく気は起こさなかった。便意を覚える時間も自然と深夜や夜明けに変わっていった。

店の人たちが共同で使う便所はたいがい、門から遠くない場所にあるので、すばやく行動すれば誰とも顔を合わせなくて済む。申し訳ない点があったとすれば、寝ている人たちを起こす恐れがあるため水が流せなかったことだ。そして、従来は門扉を閉めなかった隣人たちがあわてて施錠するようになった理由も多分、そこにあったのだろう。いつだったか彼は、江南《カンナム》不動産のパクさんに自分の哀れな立場をそれとなく訴えてみたことがある。大家さんは家にいるのに、夜でも昼でもめったなことでは、いや、全然ドアを開けてくれないのだと言うと、パクさんは怒り出した。

「あのなあ、あんたも、便所に入って何もしないわけではないだろ。あんたんとこの地下には少なくとも十人住んでるはずだが、大家の便所を気軽に使う者など誰もおらん。地下の人たちのせいで、こっちまで糞《くそ》の話につきあわされてたまらんよ。いつでもずかずか入ってきて自分の家みたいに用を足して出ていきゃ、向こうだって不満がつのるじゃろ。そんなことだからみんな、夜には鍵をかけてしまうんだ……」

部屋の仲介者なのだから対策を講じてくれると思っていた彼は、パクさんの突然の怒りに困り果てるばかりだった。そのとき、二人の話を聞いていたパクさんの妻が話に割り込んできた。

「一〇二号室の人、前からそうなんですと。誰が行ってもなかなかドアを開けないらしいよ。服装を見たら、家の中にばかりいるような女ではなさそうだけど、何が何でもドアは開けけんで閉じこもってるちゅう噂だわ。そうは言っても、自分ではっきり約束したのに、そんなことでいいのかねえ」

とにかくまあ、と切り出してパクさんは女房の意見をぶった切り、まだいらいらの収まらない顔で彼を見た。

「とにかくまあ、契約時の約束があるわけだから、あんたが行って談判せにゃ。そうじゃないかね？　人には二言があっちゃいかんしな」

パクさんからは何の解決策も出てこないということを彼は悟った。同様に、ドアは開けないと固く決めている大家にも何も期待できないと知った。おそらく大家の女は彼を家に上げることが嫌なのだろうし、つるつるに磨き上げた浴室兼トイレにむさ苦しい男を入れたくないのだと彼は断定した。金が要るので地下室を賃貸には出したものの、彼と同じ便器を使うのにはためらいがあるに違いない。

だとしたら方法は一つしかなかった。用を足す時間を昼間に変更することだ。それしかないと判断した彼はあらゆる方法を動員して、工場の便所で用を足せるよう、自分の消化器官を誘導しようと努めた。もちろん容易なことではなかった。いや、そうやって頑張れば頑張るほど、工場では全く便意がやってこなかった。だが地下室に戻り、もう絶対に便意を催してはならないと覚悟を決めるや否や、時を選ばず下腹がむずむずするのだった。どういうことなのかわからない。何かといえば逆走しようとする自分の新陳代謝に彼はとまどった。だがどうしようもない。あちこちの門扉を押してみて、開かなければ、遠美洞《ウォンミドン》の町の奥まったところを探してしゃがみ込まなくてはならなかった。外で用を足すには、人が通らない時間帯でないといけない。空き地は何か所かあるが、空き地にはちょうどいい遮蔽物《しゃへい》がないので不安だ。四方が囲まれた場所を探し歩かなくてはならなかったが、そんな場所がたくさんあるわけがない。人目につかない場所といえばたいがいが、道に停めてあるトラックや自家用車、バンの後ろ側などだった。

結局はどっちを向いても自動車のおかげで生きているんだな。高周波溶着機を見つめて彼は苦笑した。車の床に敷くマットで食いつなぎ、車に隠れて食ったものを出す。彼は江南《カンナム》不動産のパクさんのふてぶてしい顔を思い出して顔をしかめた。便所の問題さえなければパクさんを恨む理由もないのだが。一間きりの地下の部屋は彼の境遇にはぴったりだった。彼は地下の暮らしに慣れていた。地上に出られる日もあるだろうが、今は地下の部屋も地下の仕事場も命と同じくらい大事だ。彼の望みはただ、働くために食ったのだから、排泄くらい自由にできて当然だという、きわめて素朴なものだった。

いつもなら昼休みが終わり、午後の仕事が始まる一時三十分に、チョンさんから電話がかかってきた。

「社長からも連絡はなかったんだな？　そりゃ、ちょっと変だなあ……」

チョンさんはチッと舌打ちした。

「そっちはどうですか？　今どこにいるんです？」

「ムン技師は家庭サービスすると言って帰って、みんな駅前の喫茶店にいるんだ。退屈してるよ。まあ、君も息の詰まる地下にこもってたら参っちまうだろうけどな、気の毒にな」

チョンさんは、まるで自分は地上生活者でもあるみたいにしゃあしゃあとそう言うのだった。電話を切っていくらもしないうちに、すっかりふくれっ面をした社長が入ってきた。彼が一人で留守番しているのを確認した社長は、空しそうな表情であたりを見回した。社長の色褪せた開襟シャツは背中にべったり貼りついていた。外はすさまじい暑さらしい。オートバイの音も聞こえなかったが、走ってでもきたのだろうか。彼は何と言葉をかけていいかわからず、社長の挙動をただ見守るだけだった。社長は水道の蛇口をひねってコップになみなみと水を注ぐと一気に飲み干した。それから高周波溶着機の前に座って、黙々と金型を打ち込みはじめた。

「裁断済みのものがあったら出してくれ」

社長がぶっきらぼうにそう言い放つ。ルマンが五十枚ほど、エクセルは百枚ほど裁断したものがあったので、彼は機械の横にそれを運んでいった。黒板に書いてある注文内容を社長が見たのかどうかはわからなかったが、彼はルマンから先に作業できるよう気を遣った。さっきからひっきりなしに催促されているルマン二十枚は、自分一人ででも仕上げて先方を黙らせなくてはと思っていたのだ。

社長は慣れた手つきで機械を扱っていた。最近はその腕を振るうこともなかったが、ペ技師よりスピーディーに見える。誰かが来てその様子を見たら、誰も社長だとは思わないだろう。汗に濡れた髪の毛、歳月を経てすっかり日焼けした顔、くたびれた服装、どこを見てもペ技師やムン技師よりましなところなどありはしない。機械の稼働音が聞こえてくると、地下室の澱《よど》んだ空気が初めて動き出したかに思えた。仕事をすべきか、黙って見物だけしているべきかがわからず、彼はじれったかった。両腕をだらんと垂らして人が働くところを見ているだけというのは、彼の気持ちにそぐわない。両手が動く限りは、ここで働いている限りは、仕事をせずには気が収まらない。ぶらぶらしていて飯が食えないのと、働いていて食えないのとでは、働いている方が耐えようがある。彼が革包丁をいじりながらためらっていると電話が鳴った。どうせ催促だろうと思っていると、社長が先に電話に出た。

「明日にしてくれ。あ、急ぎならよそに頼んでくれ。とにかく今日は出荷できないから」

彼はいじっていた革包丁を下に置いた。とにかく約束は約束なのだから。社長は、明日から出勤する新しい工員をもうすっかり確保したのかもしれない。工場を転々として仕事を体で覚えるうちに、同僚との約束を破ってはいけないという原則を彼は体得していた。思いのほかに裏切り行為を重く見る、まじめな同僚たちを傷つけてはいけないのだ。どうして時間が進むのがこんなにのろいのか、まだやっと三時だ。昼を抜いたせいで腹が侘《わび》しい。犬のようにヒーヒー転げ回っているときは、いっそ食べなければいいのだと空元気が湧いたりするが、実際に一食抜いた打撃は相当に深い。猛威を振るうこの暑さも、腹が減っていては耐えがたい。彼が扇風機のスイッチを入れるのを見た社長が、思い出したようにパッとシャツを脱ぎ捨てた。社長の顔からは大粒の汗が垂れていた。

「昼飯は食ったか？」

社長に聞かれて彼は首を振った。

「ジャージャー麵でも頼め。二人前、大盛りで」

社長も昼飯を食べていなかったらしい。ジャージャー麵が来ると二人は裁断台に向かい合って座った。割り箸の袋を破りながら、早く食べろと社長が目で合図する。社長の家に住んでいたころのことが思い出された。朝、食卓の前で社長が洗面を終えるのを待っているとき、水滴のついた顔を振りながらよくそんな目配せをしてくれたものだ。二人がジャージャー麺を食べている間も電話が二回も鳴った。

「出なくていい。どうせ今日は無理だから」

口のまわりにジャージャー麺の黒いソースをつけた社長の顔の肌荒れから目をそらしたまま、彼は一生けんめい箸で麺を手繰り上げた。みんなどこにいるのだろう。彼はふと、外にいて、地上のどこかを踏みしめているはずの同僚たちのことを思った。それから社長を見た。ほかのときなら社長は地上のどこかにいて、彼らが地下のここに閉じこもっていたはずだ。彼らは、社長はこんな地下とは何の関係もない人だと思っていたのではなかったか。片手でしきりに額の汗を拭き、もう一方の手でジャージャー麺をずるずると手繰っている社長の姿が全く不自然に見えないことに、彼は驚いていた。

しばらくして社長が先に食べ終え、彼も続いて箸を置いた。空の食器を入り口の方に出した後、彼はトイレットペーパーを巻き取って手に持ち、二階へ上がっていった。胃に何かを詰め込んだ後は必ずトイレに駆け込むのが、もう彼の癖になっている。もちろん工場にいるときだけの癖だ。排泄すべきものを溜めたままで地下室に帰るのが怖いからだ。ほぼ二十分間必死にいきみ、成功のためのおまじないまで試しながらトイレにたてこもった末、彼はなすすべもなく、持参したトイレットペーパーをそのまま持って地下へ降りてきた。食後の眠気のせいか、社長は椅子の背当てに頭を乗せてうとうとしていた。座り心地など無視した、腰かけの基本条件を備えただけの椅子の背当ては、社長の頭を楽に支えるには高さが全然足りなかった。しかも裁断台の上に片足を載せているので、姿勢がまるでめちゃくちゃだ。寝るなら椅子を何個かくっつければいいし、生地の束にもたれて寝てもいいはずなのに。

おそらく、一瞬のけだるさに勝てず居眠りしたのだろう。社長を起こさないよう、彼は降りてきた階段のいちばん下の段にそのまま腰をおろした。一時間ほどで同僚たちが帰ってくる。従業員の突然のストライキに社長はどんな解決策を用意したのか、彼は社長のうなだれた顔をのぞいてみた。口をぽかんと開け、眉間にはしわを寄せ、その下の両目はぎゅっとつぶっている。眠っているようでありながら、世間に向かって眉をひそめているようでもあった。もう少し楽に寝ることもできるだろうに。何か社長の頭を支えるのによさそうなものを探そうと、彼は立ち上がった。そのとき階段を降りてくる誰かのせわしいサンダルの足音がした。ムン技師だった。彼は思わず口に指を当てた。

「いるのか？」

つられてぐっと声をひそめるムン技師を見て、彼は何段か上っていってうなずいた。

「何で一人で戻ってきたんです？」

「家に寄ってさ……ユン技師の工場にも行ってみたんだ」

やはり内心、とても心配だったのだろう。誰よりも先にユン技師、いやユン社長の工場に席を確保しておこうと頭を回したのかもしれない。今まではオートバイのチョンさんといちばん意気投合していたムン技師が、棘《とげ》のある声でチョンさんをけなしはじめた。

「配達のたびに何個も品物をくすねていたのは俺も知ってたさ。最近は忙しいのに乗じて、結構いっぱい横領してたらしい。社長にも前から目をつけられていて、そのことに気づいたんだろう。それで俺たちまでそそのかしてストを主導したわけだ。口止めしたつもりなんだろうね。ユン技師の工場で雇ってなんかくれるもんか。人手不足なんて話は出なかったよ」

ムン技師のひそひそ話を聞いて、彼は頭の中で最小限の生活費と仕送りの金額、店へのつけなどについて考えをめぐらした。必死に探して割り込めば働き口はあるだろうが、当面の計画はもつれた糸のようにややこしいことになるに決まっている。

「社長は何て？　もう人は見つけたと言ってなかったか？」

ムン技師は泣きっつらだった。高周波溶着機を担当するムン技師が泣くほどなのに、彼が平気でいられるはずがない。

「そんな話はしてませんでした。すごく疲れてるようですよ。何枚か仕上げた後、一休みしたら眠ってしまって……」

社長はもともと口数の少ない人だった。ほぼ一年間見てきて、にっこり笑ったところなど目にしたことがない。今までの歳月で苦労してきた分、最近の好景気に笑顔を見せてもよさそうなものだが、固い表情を崩すことができないのだ。

「もう時間だな？　月給を払うための金は銀行からおろしてきたか？　まさかこの工場での最後の月給じゃないだろうな」

尻の埃を払いながら立ち上がるムン技師に続いて、彼も中腰から立ち上がった。

オートバイのチョンさんを先頭に、一行は六時二十分前に戻ってきた。目を覚まして何本めかのタバコに火をつけていた社長が、集まった人々をちらっと見た。洞窟のような地下を出て半日ぶらぶらしていた同僚たちは、自分たちの恥知らずな行いがきまり悪いのか、壁を見つめたままで社長が口を開くのを待っていた。おそらく彼らも、外の世間で半日つぶすのに疲れたはずだ。何より、ペ技師のだらんと落とした肩がその事実を感じさせる。高周波溶着機を扱う技術以外、彼の肩をいからせるものが地上にはなかったのに違いない。ほどなく社長は、いつも持ち歩いている黒い手さげカバンから用意しておいた月給袋を取り出した。社長がそれを配る間、誰も口を開かなかった。

「今月分はちょっと多いよ、ずーっと残業続きだったからな。それと、大した額でもないが、少し足しておいたからね」

彼らのうち、誰も封筒の中を見たりしなかった。気まずいときの癖で、後ろ頭をさすりながら社長が言った。

「やっと借金が減ってきたところでな……君らも私も、そんなに違いはありゃしないんだが」

独り言のような小声だったが、社長の言葉が聞きとれなかった者はいないようだ。チョンさんはゴホゴホと咳払いをして社長の視線を避け、パク君とナさんは目をぱちぱちさせていた。

「今からでも何時間か作業しましょうか。催促がずいぶん来ているでしょう」

ムン技師が提案した。

「そうしてくれればありがたいけどな」

社長がまた後ろ頭をさすりながら言った。

「こうなった以上、今日のところはやめておこう」

するとペ技師が肩をいからせて割り込んだ。みんないっせいにペ技師に視線を向けた。

「悪口言いたいやつには言わせておいて、俺らは明日から仕事しますよ。そして借金がちょっと減ったら、ボーナスでも拝ませてください」

最後の言葉は社長に向けたものだった。そのころにはペ技師の肩にもしっかり力が入っていた。

社長に夕飯まで奢《おご》ってもらって帰ってくるときも、サマータイムのせいで、意地の悪い夏の太陽はまだ市役所の屋上のアンテナのあたりに、赤錆が溶けた水たまりみたいに浮かんでいた。食堂のトイレで昼に食べたものを出そうといきんだものの、やはり失敗に終わった彼は、家のそばにある「兄弟スーパー」が遠くに見えてくると、もう不安を感じずにいられなかった。さっきから、腹の中がぐらぐらと湧き返るような感覚が消えてくれない。食堂でナさんに言われたことを思い出した。

「お前、また便所で念仏でも唱えてきたのか？　ばかだなあ、大家の女にさっさと談判しろよ！　黙っててどうするんだ？」

そして声をそっと低め、こう言うのだった。

「ちょっと考えてみろ。今日一日仕事を休んだだろ、何万ウォンか多くもらっただろ、それにこうやって焼肉まで食べてるじゃないか。いっぱい出るぞ」

ナさんの言葉は当たっているようだった。いや、本当にナさんの言う通りにしてみようと彼は決心した。ドアが開くまでじっと待っていればいいんだ。そして、ドアが開いたら押し入って、鍵をくれるまで絶対に引き下がらないんだ。

そして彼はついに、地下の自分の部屋はすっ飛ばして、まっすぐ大家の家に向かった。ピンポン、ピンポン。彼の気持ちとは違い、ブザーは軽やかな音を室内に響かせている。ピンポン、ピンポン、ピンポン。ドアは一向に開きそうになかった。立て続けにブザーを押したり、回らないノブを揺さぶったり、固く握った拳でドンドンドンとドアをたたいたりもしながら彼は空しく立っていた。口はあるのに何を黙ってるんだと言われそうだが、向こうが出てこないことには、談判するにも頼み込むにも何も始まらないではないか。頑なに閉まったままの鉄のドアを一度にらんだ後、彼は地下室へ降りていった。

ドアを開けると、待ちかまえていたようにむっとする匂いが押し寄せてくる。まず椅子に上って窓を開けた後、彼は隅に寄せておいた布団を枕代わりにして横になった。久々に早く帰れたし、水道の出る日でもあるので、溜まった洗濯物でも片づけるのがいいだろうと思ったが、今すぐには体を動かしたくなかった。まだ梅雨の季節でもないのに、ビニールの床から水気が上ってきていた。このまま寝てしまってはいけないと注意しつつも一瞬うとうとしかけたようだったが、ずっと上の跳ね上げ窓の外が騒々しいのに気づいた彼はぱっと目を開けた。

「いったいどこのどいつだ！　糞《くそ》するところがないなら、食わなきゃいいだろう」

ナイフの先のように尖った声に驚いた彼は、思わずパッと立ち上がった。明らかに彼に向かって投げつけられた言葉だが、声だけでは誰だかわからない。遠美洞《ウォンミドン》でよく耳にする声ではなかった。

「全くですがな、えらい匂いや。片づけもせんと。またやるに決まっとるが、もうやられっぱなしではすまさんからな」

そう答える声は、紙屋の主人のチュさんに違いない。そういえばゴムホースから噴き出す激しい水音がすぐ近くに聞こえるようだ。彼は窓の近くに耳を当てて外の音を一つも聞き逃すまいと全神経を集中した。道に撒かれた水は地表を伝って地下に染み込み、すぐに彼の胸までびしょびしょに濡らしそうだ。

「ものすごいハエですね。これが一日二日のことでもないんですから……」

女の声も割り込んできた。高いソプラノですぐにシネという子の母親だとわかる。

「まあ、これだけちゃんと片づけておきゃあ、あれも人間なんだから、もうしないでしょうて。居間の掃除なみにきれいにせんと」

するとホースの水音がいっそう大きくなった。

「朝、車を出そうとすると必ずこうなんですからね。今朝はぐにゃっと踏んづけて、見てみたらこの始末で、本当にうんざり……」

聞き慣れない声の主がハハハと笑った。チョコレート色の車の持ち主が朝の失敗に腹を立て、一日じゅう彼の帰りを待っていたあげく、ゴムホースを持って出てきたらしい。顔が火照ってくるのを感じながら、彼はぺったりとうずくまった。

どうか、と祈りつづけたが無駄だった。目が覚めてしばらく転々と寝返りを打っていると、いつもと違わず釋王寺《ソグアン》の鈍い鐘の音が早朝の空気を裂いて鳴りわたった。続けて教会のチャイムが響いてきた。昨日と少しも変わらない。徐々に下腹がよじれてくるあの兆候まで同じだ。足をすっかり縮めて彼は深呼吸した。チョコレート色の車でなくとも、探してみたら隠れてできる場所がいくつか見つかるかもしれない。家の近くでやりすぎたんだという後悔が押し寄せてきた。もうちょっと遠くで探すべきだったんだ。本当に緊急のときなら、カンじいさんの野菜畑も一回ぐらい利用できただろう。きゅうりの蔓に隠れることもできるし、かなり育った唐辛子の畑でもよかったはずだ。

糞《くそ》するところがないなら、食わなきゃいいだろう。ナイフの先のように尖っていたあの声さえ聞かなければ、そうすることもできたかもしれない。恰幅がよくて口の悪いカンじいさんには、あれよりずっとひどい悪口を浴びせられるに違いなかった。どうにもこうにもできずにいるうちに、背中に冷や汗が噴き出してきた。あれも人間なんだから、もうしないでしょうて。チュさんのがらがら声がもう一度彼の顔を火照らせた。人間らしいことをできなくさせたのは誰なんだ。彼はぎゅっと下腹を押さえてうずくまった。額には汗が噴き出し、腕には粟粒のように鳥肌が立った。じめじめする布団に頭を突っ込んでもみたし、立ち上がって狭い部屋をぐるぐる回ったりもしてみたが、何の役にも立たなかった。昼間はあんなに催さなかった便意が、この部屋に帰ってくるだけでなぜこうも暴れ出すのか、彼は得体の知れない自分の腹にとことん絶望した。そして猛烈な敵意とともに大家の女の赤い唇を思い出した。今夜さえ乗り切ったら、無事に今夜さえ乗り切ったら、ドアを蹴とばして壊してでもあの女と対面せずにおくものか。カビの匂いのする壁紙に頬をこすりつけながら、彼はこの深い闇が早く晴れることを切に願った。

　どうやって寝たのかわからないが、また目を覚ましたとき、彼はドアの前にエビのように体を丸めてつっ伏していた。彼は最初、自分が眠っていたことさえ気づいていなかった。さっきまでの身悶えが、あのひどい苦痛が、目を覚ますや否やはっきりと思い出された。六時二十分、時計が見えるくらい明るくなった室内が彼を慰めてくれた。結局人間らしさをまっとうしたわけかな、とそんなことを思っていると、すぐそばでガッチャーンとガラス窓が割れる音がした。考えてみれば、彼が目を覚ましたのもまさにその音のせいだったのだ。または跳ね上げ窓の前にガラスの破片が降ってくる音だったのかもしれない。彼は息を殺した。ほんの短い一瞬、彼は自分を狙って飛んでくる石ころを思った。いったいどこのどいつだと息まいていたあの男の手が、尖った石つぶてを握りしめているのが見えたような気がする。まさにそのとき、ガラスがもう一枚粉々に割れた。続いて彼の部屋の窓の外に、ガラスの破片が雹《ひょう》のように降り注いできた。いくつかは窓に当たって跳ね返された。

「ドアを開けな！　開けなってば！」

　息をする音さえ手で摑めそうなすぐ近くで、毒のある女の声がした。しばらくして、今度は壁にドンドン響くほど、どこかの家のドアを叩く音がした。

「ドアを開けな！　全部わかってて来たんだから、開けなってば！」

靴でドアを蹴っているらしい。女のしわざとは信じられないほど乱暴な蹴り方が続いたが、ある瞬間、彼は自分の耳を疑った。蹴られているドアは明らかに一〇二号室だった。間違いなく一〇二号室の前で女の靴のヒールの音が乱舞しているのだ。わずか何時間か前には彼が猛烈な敵意でぶち破ってやろうと心に誓った、まさにあのドアである。いったいどういうことなのだろう。早朝の乱入者は忙しく前後に行き来しながら玄関のドアをたたき、ベランダのガラス窓*に石を投げつけた。ドアが壊されようが、ベランダのガラス窓が割れようが構わないのか、中からは息をする音もしない。あまりに頑なな沈黙だったので、知らない人が見たら空き家だと信じてしまいそうだ。閉ざされたドアの中の手ごわい沈黙を何度も経験した彼でさえ、もしや留守ではと疑ったほどだ。しかし乱入者は確信を抱いているように行動した。

「ドアを開けな！　全部わかってんだよ！　開けなってば！」

ドンドンとたたく音が壁に響いたかと思うと、ガッチャーンとガラスが粉々に割れ

＊韓国の集合住宅では保温性を高めるためベランダに必ず窓がついており、部屋とベランダの間もガラス窓とドアで仕切られている。

る音がして、破片が雹《ひょう》のように飛び散った。

「人の亭主を横取りしといて無事に済むと思ってんの？　このアマ、ドアを開けな」

ついに乱入者の正体が明らかになった。乱暴を働いている女は本妻で、あのドアの中で今ぶるぶる震えている女は愛人であるらしい。誰が来てもドアを開けることができないというあの女の真っ赤な爪が思い出された。安心してドアを開けられないその事情のために、彼もまた人の務めを果たせなかったというわけだ。

「これでも開けないつもり？　ドアを開けな！　開けなってば」

今度はかなり大きな石が飛んでいったらしい。けたたましい破裂音とともに、ガラスの破片が一しきり飛び散った。もう割るガラスも残っていないだろうと思いながら、彼は大きく頭を横に振った。

果たして彼の考えは当たっていたようで、すぐに乱入者がベランダの手すりを乗り越えようとする荒々しい音が聞こえてきた。跳ね上げ窓の少し上に一〇二号室のベランダの手すりがある。地面から手すりまでの高さは普通の大人の背丈ぐらいだったが、ガラス窓が割れているから、飛び越えようとすればそれほど難しくもないだろう。いったいこれから何が起きるのだろうか。情夫と一緒に真っ青になっている家主の女を想像しながら、彼はいてもたってもいられない気持ちで事態の進展を見守った。やがて女のわめき声と、何かがガチャンと壊れる音と、すすり泣く声がいっぺんに押し寄せてきた。ガラス窓を割れば当然ベランダを通って本妻が入ってくるとは思わなかったのか。むしろ最初からドアを開けてやれば、これほどの騒ぎにはならなかったのではないか。彼は大家の女の愚かな頑なさが哀れに思えた。言うまでもなく、近所の人たち全員がこの騒ぎを見物したことだろう。不思議なことに、大家の女に向けられていた敵意はある瞬間、塵のように消し飛んでしまった。もう憎む相手もいない、大家を選び損なった自分の不運をどうしたものかという思いが、彼を寂しくさせるばかりだった。

出勤するとき、彼は廃墟と化した一〇二号室のありさまを見た。騒ぎを起こした本妻は帰っていったらしい。室内は恐ろしいほど静かだった。外に面した窓という窓は一枚残らず割れていた。ベランダだけでなく、居間の窓も全部割れていた。彼の部屋の跳ね上げ窓の前には、ガラスの破片がうずたかく積もり、鋭い日差しの反射でキラキラと光っていた。通る人はみな首をかしげて、遮《さえぎ》るものもなくむき出しになった室内を見て通った。近所の人たちもやってきて、一連の騒ぎについてひそひそ話している。「幸福写真館」の前で一〇二号室を見ているオムさんとチュさんの視線がこちらに向かってきそうで、彼は早足で歩いて去った。チョコレート色の自家用車はもう見当たらず、周囲に比べてそこだけが目立ってきれいなのが一目でわかった。

どれくらい歩いたか、彼はふと後ろを振り向いた。すぐ目の前のカンじいさんの畑が野菜の新鮮な緑色で生き生きしているのに対して、一〇二号室のぽっかりと穴の空いた様子は限りなく侘《わび》しかった。外の日差しがあまりに明るく強烈なせいだろうか、洞窟の中のように暗い室内は冷え冷えとした感じさえ呼び起こす。あれほど自分を拒否していた一〇二号室の住人もせいぜいあの程度だったのかと思うと、空しくもあった。彼は長い間そこに立っていた。地下の自分の部屋と変わりのない、洞窟のような一〇二号室の様子を彼は何度も何度も見た。背中に降り注ぐ日光は、朝だというのにもう熱いほどだった。地面の下の彼の部屋はどうやっても見えない。跳ね上げ窓さえ見えない。洞窟のような一〇二号室の下にもう一つの洞窟があるという厳然たる事実が、彼にとっては信じがたかった。

いつまでもそうやっているわけにはいかない。彼は身を翻《ひるがえ》して自分が行くべき道を見つめた。遠くに見える交差点を左に曲がれば工場がある。今から向かう場所もまたもう一つの洞窟なのだという事実には全く思い至らぬままで、彼は道を急いだ。朝からむんむんと蒸す陽気だった。首筋はもうべとべとと汗で濡れ、体を動かすたび、服に染みついたカビの匂いが漂った。地下生活者だけの匂いだった。

女性が大を漏らす

［少女マンガ］ピクニックにきたけれど…の巻

（『つる姫じゃ〜！』より）

土田よしこ

〝「あっ　つる姫《ひめ》さんのウンコだ」
「わ――　たすかったぞ――っ」
「よかった　よかった」
「ちっともよかないわよっ」〟

今でも、うんこを男性が漏らすより、女性が漏らすほうが、ショックが大きいでしょう。理不尽なことですが。文学でも漫画でも、うんこ話はほぼ男性です。

そういう中にあって、『つる姫じゃ〜っ!』は少女漫画でありながら、盛大に漏らします。これは大変な衝撃でした! なにしろ、「週刊マーガレット」で『ベルサイユのばら』を読んだ後に、これが出てくるのですから。

多くの少女の心を救ったことと思います。

土田よしこ（つちだ・よしこ）

1948－　漫画家。東京都武蔵野市生まれ。高校卒業後、赤塚不二夫のアシスタントとなる。1968年デビュー。少女マンガ界にまったく新しい笑いをもたらす。1973年より「週刊マーガレット」で連載した『つる姫じゃ〜っ！』が大好評を博し、日本漫画家協会賞優秀賞を受賞。テレビアニメ化もされた。同時期「りぼん」で『わたしはしじみ！』を連載。その他の作品に『きみどりみどろあおみどろ』『ねばねばネバ子』『東海道中膝栗毛』など。

ピクニックにきたけれど…の巻《まき》

もったいないからたべちゃったーい
いつもいい歌《うた》をありがとう
さてみなさんそれでは本日《ほんじつ》のピクニックのコースを説明《せつめい》します
わー
ハナちゃんハナからうんこたれて
だれがっ
え──本日《ほんじつ》のコースはつる姫《ひめ》さんがすっごくいいとこを発見《はっけん》したそーでそこにしましたそうです
あ～あ
まいるな～っ
ほんとうにいいとこでしょーねわたしきょうのピクニックたのしみにしてるのよ～
だまってオレについてこい
期待《きたい》が背《せ》におもいわよつる姫《ひめ》さん
あっ
う～～んう～～～ん
あ～あたちあがれないほどお弁当《べんとう》もって
こーでもしなきゃやりきれね──や
フ～フ～
おもいよ～
はやくあるいてよつる姫《ひめ》
道案内《みちあんない》がそれじゃどーすんだよ
なにボサッとたってんだお地蔵《じぞう》ハゲ
お地蔵《じぞう》さまに責任《せきにん》ないじゃないの

とにかくね わたしは ここで ひといき つくんだから
みんなは アクセク あるきな さい
目的地《もくてきち》は この道《みち》 まっすぐの とこだから
チェッ いこー いこー
お地蔵《じぞう》さまに くわれて しまえ
あれっ
あらっ
ひどい 土砂《どしゃ》くずれ
のりこえて いかなくちゃ ならないわ
のりこえ なくても えーのよ
えっ!?
本日《ほんじつ》の 目的地《もくてきち》は そこ
ささ ムシロ ひろげて
バッ
台風《たいふう》で おしだされた 岩々《いわいわ》
おもし ろいでしょ
バカーッ
あ おハナさん そこで 5人《にん》 死《し》んだのね
キャーッ
ヒャーッ
もう こうなったら さっさと 弁当《べんとう》くって 帰《かえ》ろうぜ
食欲《しょくよく》 わかないわァ

見《み》てよ つる姫《ひめ》の 牛《うし》みたいに くうこと
顔《かお》が 土砂《どしゃ》くずれ なんだよ あいつは…
バリバリ
ゾッ
あれ 太郎《たろう》ちゃん サンド イッチ!?
うん たべる!?
はい ジャム サンド
あらっ わたしの 好《す》きなの おぼえてて くれたの!?
だって ジャムサンド なんて かわいい なって 思《おも》ったから…
キャーイヤーー!
ボタ
ん!?
あれっ!? ウメボシ おきらい ……
でしたっけ
うお〜
よっ
パクッ
きたっ
さーて くうもん くったし そろそろ 帰《かえ》りま しょう 先生《せんせい》
たのまれ なくたって 帰《かえ》るわよ
つるさん
あー つばでる
みんなを こまらすと いまに天罰《てんばつ》 くだるから
みっちゃん みちみち ウンコ たれて〜〜

ズー
パタン
あれっ つるさん どーしたの
せ せ 先生《せんせい》 たいへんです
え!?
天罰《てんばつ》どころか 腹《はら》が くだって まいりました
えーっ
おい おい
こっ こまったなァ こんな山道《やまみち》 便所《べんじょ》は ないし
うー〜
オロ オロ
あっ
たれた〜〜っ
キャ〜ッ
ええい しかたない いちいち便所《べんじょ》 さがしてては 日《ひ》がくれて キケンだ
みちみち たれるか
みっちゃん みちみち ウンコ たれて〜 紙《かみ》が ないもんで そのまんま
う〜っ お〜っ
つる姫《ひめ》さん ひどい 下痢《げり》だけど だいじょうぶ !?
先生《せんせい》も いやーっ 気分《きぶん》 わるく なって きたァ
すこし はなれて あるきま しょーか
太郎《たろう》ちゃん だいじょうぶ !?
ゲー ゲー
あーあ 木が かれて きたよ
あれっ!?

先生《せんせい》つる姫《ひめ》のすがたが見《み》えません
しまったはなれすぎたかな
こまったわ完全《かんぜん》に見《み》うしなっちゃった
つる姫ーっ
おーい
うんこたれや〜い
こまったなァ道知《みち》ってんのつる姫《ひめ》さんだけなのよ
先生《せんせい》おれたちまよったのかよ〜〜っ
こわいーっ
くまがでるわー。
おちつきなさいみなさんまだまよったわけではないきっとそのへんにつる姫《ひめ》さんいますよ
だめだ〜こう草《くさ》がふかくてはなにも見《み》えない……
やっぱりまよったかなァ
どーしよう
先生《せんせい》ーっくらくなってきたーっ
こわいよー
おかあちゃーん
つる
ん!?
あっつる姫《ひめ》さんのウンコだ
わーたすかったぞーーっ
よかったよかった
ちっともよかないわよっ

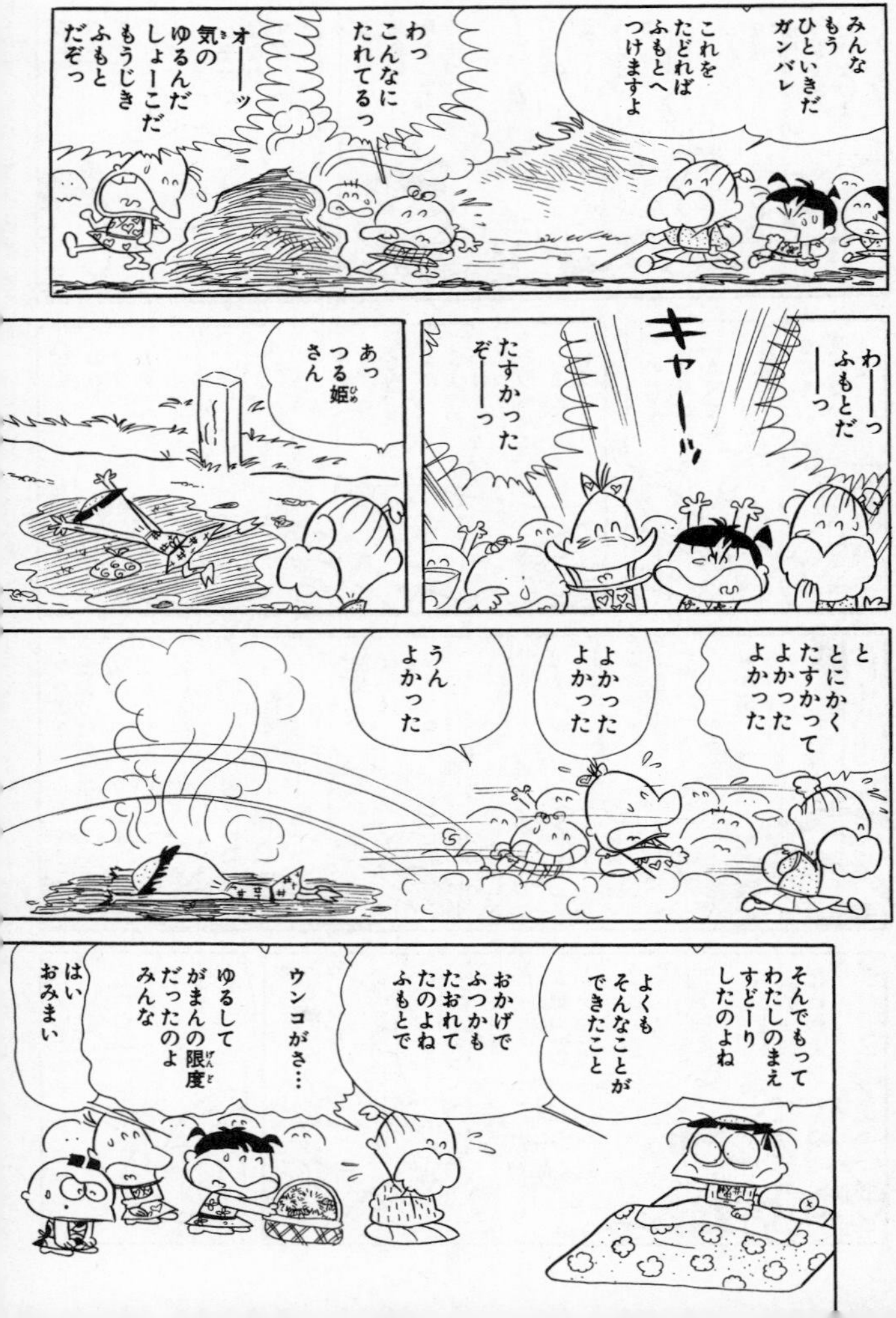

みんな もう ひといきだ ガンバレ
これを たどれば ふもとへ つけますよ
わっ こんなに たれてるっ
オーーーッ
気《き》の ゆるんだ しょーこだ もうじき ふもと だぞっ
わーーっ ふもとだーーっ
キャーーッ
たすかったぞーーっ
あっ つる姫《ひめ》さん
と とにかく たすかって よかった よかった
よかった よかった
うん よかった
そんでもって わたしのまえ すどーり したのよね
よくも そんなことが できたこと
おかげで ふつかも たおれて たのよね ふもとで
ウンコがさ…
ゆるして がまんの限度《げんど》 だったのよ みんな
はい おみまい

電子版『完全復刻版 つる姫じゃ～っ！』（全９巻／アニマルハウス）より

［番外編1　お尻の拭《ふ》き方］

お尻を拭く素晴らしい方法を考え出したガルガンチュアに、グラングジエが感心する

（『ガルガンチュアとパンタグリュエル物語』より）

ラブレー　［品川亮　新訳］

最後に、番外編として、「おしりの拭き方」の文学をご紹介したいと思います。そんな文学作品があるのかと思われるかもしれませんが、文学の森は奥深く、そういう作品もあるんです。

人間は、うんこをした後、おしりをふかなければなりません。古来、葉っぱでふいたり、縄でふいたり、紙でふいたり、いろんなものでふいてきたわけですが、いったい何でふくのがベストなのでしょうか？

それを探求した作品です。

五歳の終わり頃、カナール人を打ち倒して帰還したグラングジエは、息子のガルガンチュアの顔を見にやって来ました。世の父親らしく再会がうれしくてたまらないグラングジエは、キスをしたり抱きしめたりしながら、無邪気な質問をあれこれとわが子に浴びせかけました。それから侍女たちも交《まじ》えてたっぷりと酒を飲み、息子の身体をきちんと清潔に保っていたか、と気になっていたことを問いただします。それに対してガルガンチュアはこう応えました。

「自分でちゃんとしといたから、この国には、ぼくくらい清潔な男の子はいないよ」

「それはどういうことかな？」とグラングジエが言います。

「見つけたんだよ」とガルガンチュアは答えます。「ずうっと丁寧に研究を重ねてきたおかげで、お尻の拭《ふ》き方がわかったんだ。これ以上に高貴で絢爛豪華《けんらんごうか》ですばらしくて効率的な拭き方はないよ」

「どんな拭き方なんだい？」とグラングジエが訊《き》きます。

「じゃあ、今から教えてあげるね。ぼく一度、女の人が巻いてるベルベットのマフラーで拭いてみたことがあるんだ。いいかんじだったよ。お尻がものすごく気持ちよかった。

ベルベットの垂《た》れ頭巾《ずきん》でも試してみたら、おんなじ結果だった。

ビロードのスカーフも試したし、サテン地の深紅の耳当ても試したよ。でもあれは、真珠飾りやなんかで馬鹿みたいに飾りたてられてるから、お尻中がすりむけちゃった。あれを作った宝石職人とか、あんなのを身に着けてた女の人は、〈聖アントニウスの業火〉*でお尻の穴を焼かれてしまえばいいのさ。

スイス近衛兵式に羽根飾りのついた帽子を小姓がかぶってたから、それで拭いたら痛みは飛んでいったけどね。

それから、茂みの裏でうんこをしてたら、猫が通りかかったからそれで拭いたんだ。そしたら、お尻の穴とおちんちんのあいだを思いきり引っ掻《か》かれちゃった。その傷も、〝アソコ〟の匂いがたっぷり浸み込んだお母さんの手袋で拭いたら、次の日には治ったけどね。

セージでも拭いたし、フェンネル、アニス、マヨナラ、バラ、カボチャの葉、キャベツ、フダンソウ、ブドウの若枝、タチアオイ、ビロードモウズイカ（これのせいでお尻は真っ赤）、レタス、それからホウレンソウの葉でも拭いたんだ。でもぜんぶダメだった。ヤマアイ、サナエタデ、イラクサ、ヒレハリソウなんかも試したら赤痢に罹《かか》っちゃった。でも自分の股袋《またぶくろ》**で拭いたら治ったよ。

それからシーツとか毛布、カーテンとかクッション、絨毯《じゅうたん》、賭博台《とばくだい》の掛け布、布巾《ふきん》、ナプキン、ハンカチ、部屋着も試したら、疥癬《かいせん》にかかったところをぼりぼり掻《か》くときみたいにものすごく気持ちよかったよ」

「なるほどな」とグラングジエが言いました。「だがおまえさんの考えでは、最高の尻拭きってのはどれなんだい?」

「今話すところさ」とガルガンチュアは言います。「あと少しで結論を聞かせてあげるよ。干し草、藁《わら》、麻くず、毛くず、羊毛、紙、ぜんぶ試したんだ。でもね、

汚れたお尻を拭くときに
紙なんか使った日には
いつでもちょっぴり残るさ
金玉に」

「おやおやこいつめ!」とグラングジエは言いました。「もう酒好きが身についたの

＊中世ヨーロッパで流行した病気。麦角菌に汚染された穀物を食べることによって引き起こされた中毒症。
＊＊中世ヨーロッパで流行した、男性の股間を覆うための布。金の刺繍や宝石やリボンや花などで装飾をほどこしたり、詰め物をして男らしさを強調したりした。

ではなかろうな？　そんな詩みたいなものをひりだせるとは」

「いかにもそのとおりです」とガルガンチュアは応えました。「詩くらいいくらでも、鼻くそほじるみたいにひりだせるよ。うんこをしにやって来る人たちに、トイレがこんなことを言ったとさ。

糞垂《くそた》れ
下痢垂れ
屁《へ》っこきに
お粗相さん
あんたのうんこ
ねとねとで
どばどば飛び散り
ぼくらのうえに降ってくる
悪臭ふんぷん
始末に負えないイヤなやつ
ぱかりと開いた穴という穴

出ていく前にきれいに拭きな
さもなくば
聖アントニウスの業火に
焼かれるぞ

も少し聞きたい？」

「おうよ」とグラングジエは応えます。
「それじゃ」とガルガンチュアは朗唱《ろうしょう》をはじめます。

ロンドー*

糞をひりだす
尻の穴
中に残りし借財の

＊十三〜十五世紀に流行したフランスの定型詩。

思いがけず匂い立ち
すみずみまでも
まといつく
その悪臭

あの娘《こ》がここに
来たらと願い
うんこする
来たらきっと
ふさいでみせよう
あの娘の尿道
そのかわり
うんこ垂れてる
あの娘の指が
ぐっとささるは
わが肛門

「でもね、ぼくには意味がちんぷんかんぷんなんだ。自分で作ったんじゃないからね。ここにいるおばあさんが暗誦《あんしょう》してるところを聞いて、記憶の袋に入れただけなの」

「話を戻そうじゃないか」とグラングジエがうながします。

「なんの話？　うんこすること？」

「いいや、尻の拭き方のことだよ」

「うん、でも」とガルガンチュアは言いました。「とうさんを感心させたら、ブルトン種のワインを一樽《たる》買ってくれる？」

「いいとも」

「お尻が汚れてなければ拭く必要もないよね。で、うんこしなければ汚れることもない。てことは、お尻を拭く前にうんこをしなければならないんだよ」

「なるほど！　賢い子だ。いずれ大学の博士にしてやろうじゃないか。この歳で、これだけの知恵が備わっているのだからな。

それはさておき、尻拭きの話を続けてくれんか。大樽一つと言わず、もっとたくさん買ってやるぞ。ブルトン種のワインでおいしいのがあると聞いている。豊かなヴェロンの村で造られたものだ。ブルトン種はブルターニュ地方では育たないからな」

「頭巾《ずきん》とか」とガルガンチュアは続けました。「枕やスリッパ、巾着《きんちゃく》、籠《かご》でも拭いてみたけど、籠はほんとにひどかったなあ。あと帽子も試してみたよ。ただ、同じ帽子でも毛が短くてざらざらしてたり、ふさふさの長い毛がついてたり、ビロードみたいにつるつるだったり、タフタ生地みたいにやわらかだったり、サテン生地みたいになめらかだったり、いろいろあるからね。いちばん良かったのは、毛がふさふさしてるやつ。うんこをすばらしくきれいに拭きとってくれるよ。それから雌鶏、雄鶏、若鶏、仔牛の皮、野ウサギ、鵜《う》、弁護士の書類入れ、フード付きの外套《がいとう》、修道女の頭巾、鷹《たか》を調教するのに使う鳥形のおとりでも拭いてみた。

それでわかったのは、最高の尻拭きは、産毛《うぶげ》でふかふかのガチョウの雛《ひな》だってこと。ぼくはそう断言するよ。ただし、拭くときには、首を両足で挟《はさ》んでやらなくちゃいけないけどね。そうしたら、誓《ちか》って言うけど、お尻の穴にすさまじい快感が走り抜けるよ。産毛のやわらかさとあいまって、ガチョウの雛の身体のちょうどいいあったかさが、直腸から内臓を伝わって心臓のあたりや脳みそまで届くんだ。

そもそも、このへんにいるおばあさんたちが話してるみたいに、天の楽園にいる英雄とか半神たちが、*ツルボランとかアンブロシア、ネクタルで気持ちよくなってるだなんて思っちゃいけないよ。ぜったいに、ガチョウの雛でお尻の穴を拭いては最高の気分を味わってるんだから。ぼくはそう思うし、ドゥンス・スコトゥス**先生もそう言ってるよ」

*ツルボランはギリシャ神話における不死の花。アンブロシアは神の食べ物、ネクタルは神の飲み物。
**中世のスコラ神学者。

［番外編2　編集者の打ち明け話］

お尻と大便のことにつきまとわれる

品川亮

小学校一年生か二年生の頃のことです。風邪で学校を休んだ翌日の朝、授業がはじまる前にトイレに行きました。隣の小便器に立った同級生とおしゃべりをしながら、グッと下腹部に力を入れて最後の一滴を押し出そうとした瞬間、背後でビチッと湿った音がしました。しまった油断した。とっさにそう思いました。前日まで腹がゆるんでいたのですが、もう完全に治ったつもりでいたのです。

どのくらい出たのか、出たものをどうしたらいいのかといったことを考える余裕はないまま、そのまま友だちとの会話を続けました。あとになってみれば、その場で下着を脱ぎ捨てればよかったと判断がつきますが、そのときはまず、自分の身にそういう事態が降りかかったことに愕然《がくぜん》とするばかりだったのです。

弁当を食べた記憶はありませんので、おそらく午前中で授業が終わったのでしょう。

とにかく最後までじっと椅子に座り、休み時間にはその姿勢のまま級友たちと話しながらも、尻たぶと尻たぶのあいだに思いを馳《は》せ続けました。下校の時間となりついに腰をあげたときには、木製の椅子の表面にうっすらと水滴が付着していました。少し涼しい季節だったのだと思います。ズボンの生地をとおして浸みだした軟便の湯気が露《つゆ》になったんだな、と考えたような気がしますが、このあたりはほんものの記憶かどうかわかりません。

授業のあいだは、もちろん臭いが気になりました。でも、実際に自分の鼻で感じていたのかどうかは思い出せません。クラスで「臭い」という声が上がったという記憶もありません。ただひたすら身動きしないように硬直したまま一日をやり過ごし、スクールバスに乗って家に帰りました。バスを降りるとき、あたたかい色の陽光がステップに差し込んでいました。それを見て、ようやくほっと緊張がゆるんだのをおぼえています。

さいわいにも、帰宅してから母に叱られたという記憶はありません。玄関に入ってからのことはおぼえていないのですが、たぶん叱られなかったのだと思います。

「編集者も決して他人事として編集しているわけではないことを読者のみなさんにわ

かっていただくために、打ち明け話を書いてください」と頭木さんにうながされ、こんな経験を書きつけてみましたが、〝打ち明け話〟と呼ぶほどの内容ではありません。恥ずかしくて人に話したくないと感じたことはないのです。

それでも、思いあたることはありました。小学生の時分には、学校で漏らしてしまう級友が一年に何人か出てくるものです。するとだれかが「なんか臭くない？」と囁《ささや》きはじめるわけですが、そういうとき反射的に、「自分かな？」と自問してしまうようになったのです。身におぼえがないにもかかわらず、ついつい尻たぶのあいだに意識を飛ばすようになっていました。今でもこの癖はうっすらと残っています。電車の中などで便臭を感じると、「あれ？　知らないあいだに挟《はさ》んでたかな？」といい歳をして考えてしまいます。生活に困るほどではありませんし、今のところ、実際に挟んでいたこともないのですが。

お尻の状況が気になるのは、痔核と長年つきあったことも関係があるかもしれません。最終的には手術を受けたのですが、その直前の時期には、排便のたびにひどく出血するだけでなく、突出する肛門を事後指で押し込まなければならないという状態になっていました。そのため、大便はできるかぎり家で済《す》ませる必要がありました。もちろんそれがかなわないことも時たまあるわけで、そうした事態に備えて、立ち回り先では常に清潔なトイレがどこにあるのかと、あたりをつけながら生活していました。見とがめられずに入って行ける高級ホテルのトイレや、巡回の甘い雑居ビルのトイレの在処《ありか》が、いつでも頭に入っていたのです。そして言うまでもなく、自分の腹具合のことはいつでも頭のすみにありました。

こうして書きつけてみると、お尻や大便問題には長くつきまとわれていたことが今さらながら実感されてきました。

三十代半ばに痔の手術を済ませたあと、今度は胆石を取り除くために胆嚢《たんのう》を切除したのですが、その後何年間も、食後すぐにやって来る便意に悩まされるようになりました。自分なりに調べたところによると、胆嚢には、胆汁を一時溜め、必要な時に放出するという機能があります。それがなくなると胆汁は垂れ流しの状態になりますが、これが大腸にまで達すると、下剤同様の刺激を与えるのだそうです。

そのため当時は、食事のたびにトイレに駆け込む必要が生じました。都内なら前述のとおりあまり問題がないのですが、出張などのときにはとても厄介《やっかい》です。どうにかならないものかと漢方医を訪ね、処方された薬を律儀に飲み続けましたが、症状は一向に良くなりません。それどころか、悪化したような気すらしました。それで薬をやめると、どういうわけかほぼぴたりと治まりました。薬が合っていなかったのか、手術から時間が経ち、ちょうどそういう時期にさしかかっていたのかはわかりません。両方だった可能性もあります。

それから十年以上過ぎた今では、朝食のときをのぞけば食後に便意がやって来ることはほぼありません。この規則正しさについては家人にうらやましがられるのですが、これは便利とばかりも言えず、ようするに朝食をとる前にあらかじめトイレを確保しておかねばならないということで、特に旅先でモーニングを楽しみたい気分のときにはかなり不便です。

そういえば、大便に関してはこんな記憶がすぐに蘇《よみがえ》ります。サッチャー政権末期の英国に到着した初日のことでした。飛行機を降り、ヒースロー空港のそっけない通路を進んでいると、ひとり旅の心細さが早くも身に沁《し》みてきました。入国審査の列で、同じ便にいた青年とおしゃべりをはじめ、地下鉄まではいっしょに乗ったのですが、まもなく朝の通勤ラッシュの中で姿を見失ってしまいました。

目的地で地上に出ると、パンクス風のやせこけた若者が駆けてきて、目の前で中年の二人組に取り押さえられます。私服の刑事に見えましたがよくわかりません。睡眠不足で頭はぼんやりとしていて、しかもガスが溜まったようで腹が張っていました。そのまま、予約してあるB&Bに向かって、スーツケースを引きずりながら何ブロッ

ク か歩きました。すると、向こうから、体格の良い男たちが二、三人やって来ます。そしてすれ違いざま、こちらの顔にかかりそうなほど盛大なゲップを放ち、笑い声を上げました。思わずふり返ると、ニヤニヤとこちらを見やりながら遠ざかっていきます。

部屋は小さくて薄暗く、ひんやりしていました。すぐに、狭いトイレで便座に腰をおろしました。目の高さにある小さな窓が開いていて、吹き抜けの汚れた壁が見えました。鳩の糞だらけでした。

用が済んでトイレットペーパーで肛門を拭《ぬぐ》った瞬間、着ていたシャツの裾《すそ》を巻き込んだことに気づきました。床の白いタイルと、手にした茶色いシャツ、その裾にほんのわずかとはいえはっきりこびりついている大便。どこまでも寒々しい光景でした。先ほどの大男たちの笑い声が耳の奥で響き、いたたまれなさがこみあげました。まだはじまったばかりの一日というよりも、この英国滞在をどうやってやり過ごしたらいいのだろうかと途方に暮れるような気分にのまれました。

シャツは、汚れた裾を奥へ奥へと押し込みながら固く丸めたうえでビニール袋に入れ、その口をきつく結び合わせてからスーツケースにしまいこみました。そしてそのまま、六週間ほどあとに帰国するまで一度も取り出しませんでした。滞在中、便臭は漂わせていなかったと思いますが、実際にはどうなのかわかりません。でも、その間ずっと頭の片隅にあったことはたしかです。

あとがきと作品解説

●なぜこんなアンソロジーを編《あ》んだのか?

初めて人前で大量のうんこを漏らしてしまったとき、私は二十歳でした。

まさか、青年期にこういうことが起きるとは、思ってもみませんでした。

あまりのショックで、しばらく何の感情も感じられない失感情症のような状態になってしまいました。悲しくも嬉しくもなく、波一つない、でも不穏な精神状態でした。

「漏らしたくらいで大げさな」と自分でも思います。

でも、「ロングショットで見れば喜劇、クローズアップで見れば悲劇」とチャップリンが言っているように、漏らしたなんていうのは、他人からすれば笑い話ですが、当人にとっては、何か「人間の尊厳」にすらかかわることなのでした。

高校のときに、勉強もスポーツもできてかっこいい学級委員の男子が、問題を起こした男子に注意をしているとき、「なんだ偉そうに、おまえ、幼稚園のときにうんこ漏らしたくせに!」と言い返されて、言葉に詰まるということがありました。漏らしたことと、そのときの問題とは、何の関係もなく、しかも幼稚園のときのことなのに。

なぜ、漏らしたことは、こんなにも恥と結びつき、人間の尊厳にかかわるのでしょうか？

二十歳で漏らしてしまった私は、他にもそんな経験をした人はいないか、そのときどんな気持ちだったのか、その後どうしたのか、知りたいと思いました。そして、本やネットなどを見てみました。

体験談はいろいろありました。でも、そのほとんどが笑い話、下ネタとして書いてあるのです。でも、本当にただの笑い話なのだろうか？　この人にとってはそうだったのだろうか？　そういう心の強い人もいるだろうけど、みんながみんなそんなはずはないのだけど……。

そのうち気づいたのは、漏らした話を人にするとしたら、笑い話としてするしかないのです。さっきも書いたように「ロングショットで見れば喜劇」ですから、他人には笑い話ですし、悲しい話とか苦しい話は愚痴として嫌がられます。失恋の話とかなら親身に聞いてくれる人もいるでしょうが、漏らした話となると、そうはいきません。

そういう、いわば聞き手の圧力によって、自然と笑い話や下ネタになっているのです。それがいやなら話さないようにするしかない。いずれにしても、かなしみは心の奥にしまい込むしかないのです。

私はもやもやしたままでした。

そのとき、私はハッと気づきました。文学なら、こういう気持ちを描いてくれているのではないか。何か体験して、自分が抱いた気持ちを、他の誰にも共有してもらえなくて、もやもやしたまま苦しいとき、開いてみるべきは文学です。どんなに心の奥底のネガティブな気持ちでも、人が誰も自分からは口にしないようなことでも、文学にはちゃんと描いてあります。

漏らしたことが書いてある文学を読んでみようと思いました。「でも、そんな文学あるかな？」と不安でもありました。のちに、この『うんこ文学』というアンソロジーの企画を人に話したときも、たいてい「そんな文学作品、あるんですか？」と聞かれました。でも、あったのです！　さすが文学です。この本に収録したものがすべてではなく、もっとたくさんあるんです。

文学というのは、ありがたいものだと、あらためて思いました。

●笑って読んで、いつか共感を

そういう次第で、私は漏らしたことを描いている文学作品をさがして読むようになりました。そして、そういう文学のおかげで、ずいぶん気持ちが助かりました。でなければ、心の奥底に秘めたまま、誰にも漏らせないトラウマになっていたと思います。

私以外にも、きっと、そういう文学を求めている人がいるはずだ。そう思って、このアンソロジーを編みました。

私と同じように、この物語たちによって救われる人がいることを願っています。

――と、ちょっと重いことを書いてしまいましたが、もちろん、笑って読んでいただいてかまいませんし、下ネタとして読んでいただいてもかまいませんし、うんこが落ちていると、ついつっついてみたくなるような、そんな好奇心から読んでいただいてもかまいません。

いつか自分も漏らしたときには、今度は深く共感し、もしかすると泣きながら読むこともあるかもしれません。そういう日が来ないことを願いますが。

●こんな方針で編んであります

収録作はなるべく幅広く選びました。日本の文学だけでなく、海外の文学も。古い作品も新しい作品も。純文学も娯楽作も。小説だけでなく、エッセイ、自伝、体験談、評論、落語、漫画も。

なるべくいろんな国、いろんな時代、いろんなジャンルの作品、漫画も必ずひとつ、というのがアンソロジーを編むときの私のいつもの方針です。これは私のオリジナルではなく、私が大好きだった筒井康隆や赤木かん子のアンソロジーがそういう方針で編まれていて、それを読んで私はとても感銘を受けたので、マネをしている次第です。アンソロジー以外の本だと、そんなふうにミックスされていることはまずないですから（ひとりの作家の作品集だったりするので当然ですが）、アンソロジーならではの独特の体験ができます。そして、別種のものと並べられることで、それぞれの作品がより輝きを増すように思うのです。

海外の作品はすべて新訳しています。訳にこだわることはいつだって大切ですが、アンソロジーではとくに大切だと思っています。好きな作家の本を読むのとちがって、アンソロジーでは初めての知らない作家とも出会うからです。そのときに翻訳のせいで作品の魅力が減じていたら、「お試しセット」としてのアンソロジーの責任問題です。ベストと言える訳に、アンソロジーだからこそ、なおさらこだわらなくてはなりません。

今回の新訳は、私が心から信頼している、品川亮《りょう》さん、斎藤真理子さんにお願いできました。品川亮さんは、この本の編集者でもあり、私のアンソロジーをいつも担当してくださっているので、私がどういう新訳を求めているかもよくわかっておられて、英語、フランス語が堪能《たんのう》なので、とても助けられています。訳書の『アウシュヴィッツを描いた少年』『スティーグ・ラーソン最後の事件』『墓から蘇った男』などの翻訳も素晴らしいです。

斎藤真理子さんは、私が説明するまでもなく、第一回日本翻訳大賞を受賞し、『82年生まれ、キム・ジヨン』『こびとが打ち上げた小さなボール』など数々の作品を日本に紹介し、韓国文学ブームの立役者でもある韓国文学翻訳家です。斎藤さんは、これまでの私のアンソロジーでいつも、韓国文学を一作、新訳あるいは初訳してくださっています。本当にありがたいことだと感謝しています。他の作品は私自身が選んでいますが、韓国文学に関しては、未訳のものも含めて、斎藤さんがいろんな作品を私に紹介してくださって、その中から選ばせていただくという贅沢《ぜいたく》なことをしています。

●収録作についてひとつずつご紹介を（ネタバレあり）

それではここから、収録作について、ひとつずつご紹介していきたいと思います。ネタバレもあるので、できれば先に本編をお読みになってください。

私自身は、つい「あとがき」から先に読んでしまうくせがあるので、ねんのため。

●帯の言葉　谷崎潤一郎『細雪』より

谷崎潤一郎の『細雪《ささめゆき》』は大長編で、たとえば中公文庫では936ページもあります。最後まで読み切れなかったという人も少なくないようですが、その大長編のいちばん最後が、「下痢はとうとうその日も止まらず、汽車に乗ってからもまだ続いていた」なのです。この文で大長編が終わります。

かなり意外な終わり方ではないでしょうか。『細雪』は、大阪船場《せんば》の旧家を舞台に、四人姉妹の織《お》りなす人間模様が描かれています。その四人姉妹の三女の雪子が、当時としては遅い三五歳で結婚することになり、帝国ホテルでの婚礼のために上京するのですが、「どうしたことなのか数日前から腹工合が悪く、毎日五六回も下痢するので、ワカマツやアルシリン錠を飲んで見たが、余り利きめが現れず、下痢が止まらないうちに二十六日が来てしまった。（中略）下痢はとうとうその日も止まらず、汽車に乗ってからもまだ続いていた」ということになるのです。

当時の汽車のトイレは「開放式」です。「垂れ流し式」「落下式便所」とも呼ばれたように、汽車の中の便器から、糞尿がそのまま線路に自然落下する方式です。当然、沿線住宅などに被害が及ぶこともあり「黄害《おうがい》」と呼ばれていたそうです（『細雪』の時代背景は一九三六年〔昭和一一年〕秋から一九四一年〔昭和一六年〕春までで、日本の列車のトイレが「貯留式」になるのは一九五〇年代以降です)。

以前、斎藤真理子さんとトークイベントの打ち合わせをさせていただいたとき、『細雪』のラストは雪子が下痢のまま汽車に乗っているところで終わりますよね。良い着物を着た妙齢《みょうれい》のお嬢さんが、長い汽車の旅でその都度、当時の汽車便所でどうしていたのだろうと思うと、この小説はやはり空恐ろしいです。しかも当時の汽車便所は垂れ流しですから、雪子は長い距離を、西から東へ下痢を投下しながら東京へ攻め入るわけで」とおっしゃっていたのが印象的でした(斎藤さんは『細雪』を「下痢文学」と呼び、『糞尿譚』などの糞文学とはまた、全然違うものがある」ともおっしゃっていました。そのちがいというのも、また興味深いところです)。

当時の読者は、雪子の下痢が、大阪から東京の間を、ずっとたれ流しになっていたというふうにイメージしたはずで、なかなかすごい終わり方です。

雪子の下痢の理由は書かれていません。谷崎潤一郎が『細雪』をなぜ下痢でしめくくったのかもわかりません。

●尾辻克彦『出口』

『出口』(講談社)という短編集のいちばん最初に入っている短編です。この漏らした話が、表題作であり、巻頭なのです。

「私小説（作者が実際に経験したことをもとに書かれている小説）」とされているので、おそらく著者自身の実体験でしょう。そうでなければ、ここまでのせつなさはとても表現できません。漏らしたことのある者だけが知っている心理が、ここには克明《こくめい》に描かれています。

なので、「ここがいい！」と言いたい箇所《かしょ》がたくさんあるのですが、それをぜんぶ語っていたら、長大な解説になってしまうので、一箇所だけ。

漏らしそうになった主人公は「この苦労は何度も経験している。でも失敗はしていない。（中略）失敗するはずがない。（中略）あり得ないことだ。」と考えます。

これまでの人生で、何度も漏らしそうになったことがあり、その都度、なんとか大丈夫だったので、今度も大丈夫なはずと思うのです。

同じように考えたことのある人は多いでしょう。でも本当は、「ヒヤリハット（ミスをしそうだったが、ぎりぎり大丈夫で、ヒヤリとかハッとする出来事）」が何度も起きたときは、いつかミスすると考えるべきなのです。「ハインリッヒの法則」というのがあります。一件の重大事故の背後には、二十九件の軽い事故、三百件の事故寸前（ヒヤリハット）があるという法則です。なので、ヒヤリハットのうちに何か対策を立てないと、いつか重大事故が起きてしまうのです。

ところが、人間の心理というのは不思議なもので、ヒヤリハットが何度もあって、それでも大丈夫だと、「自分は大丈夫なのでは」と、かえって自信をつけてしまうのです。それどころか、失敗する人がいると、「あいつはダメなやつ」「自分はちがう」と思ってしまうのです。

戦場でもそういうことが起きるそうです。流れ弾に周囲の仲間が当たって、次々に倒れていく。しかし自分には当たらない。そういうことが続くと、自分だけは大丈夫という、英雄のような気持ちになっていくのだそうです。映画『地獄の黙示録』にもそういう中佐が出てきます。

そういう誤った思い込みが、ついに打ち砕《くだ》かれる日……。人生観が変わると言ってもいいでしょう。

この短編は『日本文学100年の名作　第8巻　薄情くじら』(池内紀・川本三郎・松田哲夫＝編、新潮文庫）にも収録されているのですが、その解説で松田哲夫はこう書いています。

「この『100年の名作』の編集会議で、私が『こんな小説を書いた人、日本にはいませんよね』と言った時、池内さんが『世界にもありませんよ』とつぶやいたのが印象に残っている」

たしかに決して多くありません。もっとあってもいいはずなのです。それがないところに、問題があります。

たとえば「性」の問題なら、たくさんの作家がこぞって、これでもかというほど赤裸々に描き、追求します。そうしてタブーを破ることが芸術的な挑戦というふうに考えられ受けとめられます。誰もが秘めて語らないことだからこそ、文学で語るのだと。ところが、同じように誰もが秘めている「排泄」については、あえてタブーを破って語ろう、追求しようとする作家が少ないのです。ベッドの中のことをあからさまにするのは、さらすほうにもかっこよさがあるが、便器にすわっているところをさらすのでは、ただみっともないだけと思うからなのでしょうか。読むほうも、寝室はのぞいてみたいけど、トイレはのぞいてみたくないからなのでしょうか。

尾辻克彦につづく作家が、もっと出てくれることを願うばかりです。

尾辻克彦は、赤瀬川原平という名前で前衛芸術家としても活動しています（本名は赤瀬川克彦）。前衛とは「未知の表現を切り開こうとする実験や冒険」のことで、そういう作家だからこそ、こういう小説も書いてくれたのかもしれません。

●山田風太郎『春愁糞尿譚』

山田風太郎の『奇想小説集』（講談社文庫）の巻末エッセイで、中野翠《みどり》はこう書いています。「山田風太郎の小説は、忍法ものをはじめとしてほとんどすべてが『奇想小説』と呼ぶべきジャンルのものである。奇想天外、荒唐無稽」

私もまさにそういう印象でした。ただ、小説以外の分野では、とても幅広いです。太平洋戦争中の日々を綴《つづ》った『戦中派不戦日記』（講談社文庫）もあります（勝田文によって漫画化されています）。『人間臨終図鑑』（徳間文庫）は、歴史上の有名人九二三人がどのように死んだのかを調べ、死亡年齢順に並べてあります。結婚する娘に持たせたという『山田風太郎育児日記』（朝日新聞社）もあります。

この『春愁糞尿譚』というエッセイは、漏らしたことについて、かなり淡々と書いてあります。奇想天外、荒唐無稽というような誇張《こちょう》はありません。そこがいいです。「やって来る知人に、何かのはずみでこの悲話を物語り、（中略）すると、これが意外にも、若い人でもみなこれと大同小異の体験談をお持ちのようである」という一節がありますが、これはまさに私も体験しました。

私は『食べることと出すこと』（医学書院）という本で、自分が漏らした体験を初めて書いたのですが、その後、「じつは私も」という反響をたくさんいただきました。

面白いのは、たとえばTwitterでの反響で、食べることについては普通にツイートやリプライ（誰でも見ることができる）なのに、漏らすことについては、ほぼすべてダイレクトメッセージ（私以外には見られない）だったのです。みんな隠しているのです。

先の尾辻克彦の『出口』で、漏らしそうになった中年の主人公は「赤ん坊ではあるまいし、こんなことで失敗するわけがない」と考えます。自分が赤ん坊や老人ではないことに望みをかけるのです。しかし、実際には、青年でも中年でも、健康で元気いっぱいな人でも、じつはけっこう漏らしているのです。

道行く人たちはみんな、「大便や小便を漏らすなんてありえません」という顔をしていています。本当のところはどうなのだろうと、かねがね思っていました。やっぱり、けっこうたくさんいるんだなあと、私としてはほっとしました。

告白してくれた人たちとは不思議な心の絆《きずな》が生まれました。〝漏らすかなしみ〟を知っている仲間です。かなしみは人と人をつなぎます。

それなのに、なぜみんな、こんなに隠すのか。もっとみんなで「わたしも」「おれも」と言い合えたらいいのにと思います。

シンガーソングライターで俳優の星野源は『そして生活はつづく』（文春文庫）と

いうエッセイ集の中の「はらいたはつづく」で、「あなたは、自分の便がついてるパンツを洗うときの切なさを知っているか」と自分が漏らした体験を書いたうえで、こう提案しています。「おなかをこわした話を聞くと、妙にシンパシーを感じる。苦手だった人でもおなかが弱いとわかると同志のような気持ちになってしまう。(中略)たとえ欠点や弱い部分でも共鳴し合う部分があれば有効なコミュニケーションツールになる。完璧な人間などどこにもいない。誰にでも必ず弱い部分はある。人間だけに与えられたこのツールを、私たちはもっと臆《おく》さず使っていいと思う」

本当にそうだなあと私も思います。

●筒井康隆『コレラ』

病気にも色気のあるなしがあると言いますが、下痢をする病気というのは、人から汚がられ、笑いも誘い、まったく色気がなく、その分、当人にとっては悲劇です。そういう病気を笑いのネタにするのはひどいのですが、たんなる下ネタに終わらないところが、さすが筒井康隆です。漏らすときの心の動きの描写は、なんとも見事で、漏らしたことのある人ならわかるでしょうが、まさにこれ！　と言うしかありません。私は自分が漏らしたあと、あらためてこの短編を読んで、とても心が浄化されました。もやもやした苦しい気持ちの一部が、成仏してくれたように感じました。

なぜこれで浄化されるのだ？　と不思議に思う人もいるかもしれません。しかし、自分の内の言語化できないもやもやした気持ちを、見事に言語化してもらうと、なぜかそれだけで人はそうとう気持ちが救われます。これも文学というものが存在し、人がそれを求める理由のひとつではないかと思います。

たとえば、漏らしてしまう直前と、その瞬間を描写した、こういう表現。

「それはまるで、立ちあがることによって彼女の人間としての尊厳、淑女《しゆくじよ》としての品位、美しい令嬢としての矜持《きようじ》を大きく傷つけるような出来事が起るに違いないと信じていたかのようであった」

「『あ、あ、あああ、あ』／人間が、この世で最も貴重だと思っているものを失う瞬間に思わず知らず口腔《こうこう》から洩《も》らすあの悲痛な嘆声と吐息を、彼女もまた洩らした」

思わず笑ってしまう表現でありながら、体験者にとっては、いっしょに「あ、あ、あああ、あ」という声が出そうなほどリアルな描写です。私もまさに、こんなふうにして初めて漏らしました……。

「人間のからだというものが、たった一本の消化管――汚物がいっぱい詰めこまれた一本の空洞に左右される程度の存在でしかないということを否応なしに認識しなければならないということがいかに驚くべきことであったか」

というのも、まさに私自身も到達した感慨です。

漏らすことを笑いに使っていて不愉快に感じられる作品と、この作品のように高く評価せざるをえないものと、どこがちがうのかと言えば、やはり、漏らした者の気持ちの真実をどこまで深くとらえることができているか、ということでしょう。

なお、感染者が空港の検閲をくぐり抜けたり、無症状の感染者がどんどん感染をひろめたりする展開は、コロナ以前にはスラップスティック（ドタバタ喜劇）に思えましたが、コロナ以降の今読むと、予言というか、現実と重なりすぎていて……。

●バルザック『ルイ十一世の陽気ないたずら』抄（『おかしな小話』より）

バルザックと言えば、近代リアリズム小説の創始者とも言われる、十九世紀の大文豪です。代表作のひとつ『人間喜劇』には、二千人以上の登場人物が出てきます。

そういう重厚な作家ですから、こういう糞尿譚は、ほんの遊び、おふざけで書いているのかと思いました。『バルザック全集』第二十五巻（東京創元社）の訳者の小西茂也も解説でこう書いています（本書では出典の本のタイトルを『おかしな小話』と訳していますが、小西茂也は『風流滑稽譚』と訳しています）。

「『風流滑稽譚』は従来はややもすると彼の余技か戯作《げさく》のように目《もく》する人が多い」

ところが、バルザック自身は知人たちへの手紙の中でこう書いているそうです。

「もし私のもので後世に残るものがあるとしたら、それは『風流滑稽譚』でしょう」

「『風流滑稽譚』は（中略）文学的記念碑です。（中略）未来に於《お》ける私の名声のもっとも輝かしい部分を占めるのが、この本でしょう」

なんと、『おかしな小話』はそんなに真剣に書かれたものだったのです。その中の一編がこの『ルイ十一世の陽気ないたずら』です。

ルイ十一世は、十五世紀のフランスの王様です。ジャンヌ・ダルクに助けられたシャルル七世の息子です。戦争よりも外交・政治的な陰謀を用いて、百年戦争後の荒廃したフランスを統一したそうです。

この逸話《いつわ》では、陰謀をめぐらすのは愛妾のボーペルテュイ夫人です。ねらいは、ラ・バリュー枢機卿と理髪師のオリヴィエ・ル・ダンの二人なのに、他の司教や親衛隊の隊長や高等法院の評定官たちまでまきぞえです。上の者の勝手さが感じられます。

ボーペルテュイ夫人は、晩餐会の食事に下剤を入れ、そのうえ、トイレには自分ともうひとりの貴婦人の人形を置いて、晩餐会のお客たちが入れないようにします。

評定官の言った、「ほんの数分でも畑にしゃがみこめるのなら、官職など放り出すのだが」という言葉は、漏れそうなのに出すところがないという経験をしたことのある人なら、気持ちがよくわかるでしょう。もちろん、冷静なときなら、うんこを出すだけのことに、苦労して手に入れた地位を投げ出すほどの価値があるなどと、考えるはずもありません。しかし、いざせっぱつまると、ここまで本気で思わされてしまうのが、生理現象のおそろしいところです。

「彼らは、いっそうの苦悶に身もだえしながら、ちらちらと共感のまなざしを向け合いました。口から出てくる言葉では達し得ないほどの相互理解に、尻の穴をとおしてたどり着いたというわけです。生理作用というものはすみずみまで道理にかなっていてわかりやすいもので、けっして誤解が起こりません。なにしろそれは、だれもが生まれてくると同時に学ぶ知恵なのですから」という箇所も、笑えると同時に、泣けてきます。排泄でせつない思いをした者どうしだからこそ、そのかなしみでつながれるということを、バルザックもまた描いているわけです。

なお、バルザックは『おかしな小話』をわざと古めかしい文体で書いています。ですので、本来は翻訳も古めかしい文体にすべきで、これまでの日本語訳もそうなっています。しかし、それだと、今では読むのがなかなか難しいです。明治時代の作品でも現代語訳されることがあるくらいですから。今回は、雰囲気だけは古めかしく、でも普通に読める現代語で訳してもらいました。

まずは内容を知っていただいて、興味がわいた方には、さらに既訳で全体をお読みいただきたいと思います。新潮文庫と岩波文庫から翻訳が出ています（岩波文庫は『艶笑滑稽譚』というタイトルです）。

●山田ルイ53世『ヒキコモリ漂流記 完全版』抄

うんこの特徴として、「におい」ということは、とても大きいと思います。漏らしたときに、便は下着の中におさまってくれたとしても、においで他の人に気づかれてしまいます。そして、くさいことでよけいにからかわれてしまいます。介護の現場でも、においは大きなテーマになっていることだろうと思っていたら、『精神看護』22巻5号（医学書院）に『介護職とにおい　語られずにきたものを語る』という金井聡さんの文章が載っていて、これはとっても興味深い内容なのですが、その中に「介護職自身がにおいにどのように向き合っているのか、話題にあがることは少ない」とあり、意外に思いました。

うんこについて書かれたものでも、においをテーマにしたものは少ないです。どうしようもないものだけに、語りにくいのかもしれません。

それだけに、この作品は、とても貴重です。まさに、においがテーマとなっています。漏らしたうんこをバレずにきちんと処理できたと安心していたのに、においが立ち上りはじめるのです。ああ、そうか！　と、読んでいるほうも、衝撃を受けます。このことだけが原因ではありませんが、著者は「ウンコがきっかけで、あそこまで長い長い引きこもり生活に自分が突入」してしまいます。

興味深いのは、漏らしてすぐに学校に行かなくなったわけではなく、「数日か数週間か定かではないが、何を思ったのか、僕は学校には通い続け、夏休みに入る」ということです。衝撃があまりに大きいと、人はすぐにそれに応じた行動はとれず、何か無感情なまま、それまでの生活をつづけてしまうのかもしれません。

最近は、便の臭いを消すサプリメントというものもあって人気だそうです。

ただ、糞尿のにおいは、いやがられるだけでもありません。谷崎潤一郎は『厠《かわや》のいろいろ』という随筆で、昔の汲《く》み取り式の便所（便器の下に糞尿をためておくところがあり、定期的にそれを汲み取る方式のトイレ。昔はそれが一般的で、たまった糞尿のにおいがするのがあたり前でした）について、こう書いています。「便所の匂いには一種なつかしい甘い思い出が伴《ともな》うものである。（中略）行きつけの料理屋お茶屋などについても、同様のことが云《い》える。（中略）その家の厠へ這入《はい》ってみると、そこで過した飲楽の思い出がいろいろと浮かんで来、昔ながらの遊蕩気分や花柳情調が徐《おもむ》ろに催《もよお》して来るのである。それに、そう云《い》うと可笑《おか》しいが、便所の匂いには神経を鎮静させる効用があるのではないかと思う。便所が瞑想に適する場所であることは、人のよく知る通りであるが、近頃の水洗式の便所では、どうもそれが思うように行かない」

プルーストの『失われた時を求めて』の中に、紅茶に浸《ひた》したマドレーヌの香りで、過去の記憶がよみがえるシーンがあります。糞尿のにおいでも、人はあれこれ思い出せるのでしょう。

先の『介護職とにおい』の中で、重症心身障害児者施設生活支援員のCさんの次のような言葉が紹介されています。「排泄物は『大きな便《たよ》り』だって捉《とら》えるべきだと。まずにおいを嗅《か》がないとわからない」

この言葉はとても印象的で、本書では「第○章」とせずに「第○便」としていますが、これもふざけてそうしたわけではなく、うんこは大切な便りと思ってのことです。においには、こういう「情報」の面もあります。体調などがわかります。

サプリでにおいを消してしまえば、不快も消えるでしょうが、思い出も、情報も消えてしまいます。いいことなのかどうか判断が難しいところです。

『ある大学教員の日常と非日常』（横道誠　晶文社）に引用されていて初めて知った

のですが、アントナン・アルトーは『神の裁きと訣別《けっべつ》するため』（河出文庫）という本の中の「糞便性の探求」で、こう書いています。

糞の臭うところには
存在が臭う。

まさに至言だと思います。

●阿川弘之『黒い煎餅』

こちらもうんこのにおいの話から始まりますが、自分が漏らしたにおいとは思わず、ずっとドリアンだと思っているところが面白いです。うんこのようなにおいの果物でも、「一旦《いったん》好きになると病みつきになる」ものが、世の中には存在するわけです。

そして、このエッセイのさらに面白いところは、そこからはじまる、うんこにまつわる考察です。

論語や聖書に糞尿やトイレの話が出てこないとか、仏典にはふんだんに出てくるとか、そういう視点で論語や聖書や仏典を比較した人は他にいないでしょう。

関ヶ原の合戦が糞尿だらけだっただろうというのも、言われてみれば、そうにちがいありません。人は食料のことはすぐに気にしても、排泄のことを忘れがちです。しかし、実際には排泄も大問題です。映画やドラマで、登場人物が長く監禁されることがありますが、飢餓や渇きは描かれても、糞尿問題は出てきません。長く縛られたまだったりしたら、実際には糞尿まみれのはずなのですが。

「北陸の豪雪で急行列車が幾晩も立往生《たちおうじょう》した折《おり》、新聞テレビが報道しなかった最大の厄介事《やっかいごと》は、乗客の便の始末だった」というのも、それはそうだろうと思いますし、そういうことは報道されないのでした。

性と便のことを阿川弘之も書いています。性のほうは「一定の年齢から一定の年齢まで、而《しか》も毎日でない」のに対して、排泄のほうは「生を享《う》けた日より死の日に至るまでしつこくついて廻《まわ》り、一夜といえども疎《おろそ》かにすること不可能なのに、その悩み、その快感、それをする時の人の表情（中略）、その形状その色その匂いが、描かれ芸に昇華した古今の例を稀《まれ》にしか思いつかない」

まったくその通りで、文学にとって未開拓の地がまだまだ広大に残されていると思います。今後、作品がもっと生まれてくることを期待したいものです。

●阿川淳之『トルクメニスタンでやらかした話』

このエッセイは、このアンソロジーのための書き下ろしです。阿川弘之『黒い煎餅』の掲載許可を得たときに、執筆もお願いし、快諾していただけました。ありがたいことです。

知らない国に行って、トイレの場所がわからないというのは、なかなかせつない状況です。自分の国なら、初めての建物でも、だいたいどういうところにトイレがあるか見当がつきます。しかし、他国ではそうもいきません。

まして、それが神聖な建物で、排泄の失敗が神への冒瀆《ぼうとく》行為になるかもしれないとあっては、生理現象との葛藤もさらに激しいものとなります。しかし、それでもいかんともしがたいのが生理現象です。精神力で抑《おさ》えるのには限界があります。

そういう失態は、神も許してくださるのではないでしょうか。

「『いやねえ』と言っていた母だって、晩年には病院に入り、他人様のお世話になった」という一節も感慨深いものがあります。誰もがいつか世話をされる側になることがありえます。そのとき、「今思えば、父のパジャマを洗ったことも、母の世話をしたことも、すべて懐かしい思い出である」と言ってくれる人がいてほしいものです。

●吉行淳之介『石膏色と赤』

うんこにまつわる思い出は、つらかったり、せつなかったり、トラウマになるようなものが多いのですが、ときには美しい思い出もあります。

その中でもとくに印象深いのが、このエッセイです。

四歳の少年が、祖母に手をひかれて、上り坂を登ってゆくとき、「正面の坂の向うの空で大きな夕日が沈みかかっているのが、眼に入った」そして「その夕日はひどく感動的で、立止まって茫然としていると、半ズボンの裾《すそ》のところから兎《うさぎ》の糞のような固い物体が転がり出た」。

「茫然としたために肛門が弛《ゆる》んだ」のでした。

脱糞させるほどの赤い夕暮れとは、いったいどれほど美しいものだったのでしょう。それとも別の意味合いがあったのか。

いずれにしても、不思議に心に残るエッセイです。

なお、吉行淳之介には『追いかけるＵＮＫＯ』という作品もあります。『滑稽糞尿譚　ウィタ・フンニョアリス』（文春文庫）というアンソロジーに収録されています。

このアンソロジーは糞尿にまつわる作品を集めてあるもので、編者はなんと安岡章太郎。私はこのアンソロジーの存在に気づいていなかったので、知ったときには、こういう先輩がすでにいたのかと、とても心強く嬉しく思ったものです。おすすめです。

●谷崎潤一郎『過酸化マンガン水の夢』

谷崎潤一郎は戦後、高血圧症のために、一時、執筆ができない状態にまでなってしまいました。『源氏物語』の新訳も中断するほどでした。そのときのことは谷崎自身が『高血圧症の思ひ出』(『谷崎潤一郎全集　第二十二巻』中央公論新社)にくわしく書いています。「生まれてから六十六歳になるまで、病気の苦悩と云《い》うものを殆《ほとん》ど経験しなかった私、——たまに寝つくことはあっても、半月もすれば軽快になるのが常で、心の底ではそんなに病気を恐れていなかった私に、この時から長い、苦しい、悲しい闘病生活が始まった」

そのまま執筆できなくなってしまうかもしれず、命の危険すらありましたが、幸い、谷崎はかなり回復します。

そうして発表されたのが、この『過酸化マンガン水の夢』です。昭和三十年(一九五五年)十一月一日発行の「中央公論」七十周年記念十一月特大号に掲載されました。谷崎、六十九歳。これを皮切りに、晩年の『鍵』『瘋癲老人日記』などの傑作が生み出されていくことになります。

大病、執筆ができなくなるかもという不安、死の恐怖――そうした経験を経た後の復活作が、うんこを描いたものだというのは、なんとも意外です。生きることを見つめ直すと、うんこの見え方もちがってくるということでしょうか。

この短編でうんこが出てくるのは最後のほうだけで、そこまで延々《えんえん》と谷崎の日常生活が日記形式で語られます。ストリップショーを見たとか、映画を見たとか、うまいものを食べたとか。なんでこんなことを読まなければならないのだと感じた方もおられるかもしれません。しかし、そうした日常が、最後のうんこのところで、突然変容し、奇想が展開します。この飛躍はじつに魅力的で、そこまでの長々した日常の描写があってこそです。

うんこの描写は短いものの、うんこ文学として見逃せない作品です。トイレの便器の中に浮かぶ、うんこ。普通はただ汚いものとして、すぐに流してしまってお終いでしょう。そこから、こんな小説を生み出すことができるとは、驚きです。

うんこが、フランス映画の女優の顔に見えたり、ギリシャ彫刻のトルソーに見えたり、『源氏物語』を思い出したり、そして『史記』の人彘《ジンテイ》の話……。美しいもの、みやびなものと、残忍な恐ろしいものとが、混じり合っています。

谷崎のことですから、スカトロ趣味もあったかもしれませんが、ここではそれとはまたちがうでしょう。

それにしても、高血圧で気をつけているはずなのに、谷崎は美食家であるだけでなく、なんとも大食です。よくまあこれだけ食べられるというほどに。気をつけていないときには、どれほど食べていたことか。

そして、「此《こ》の映画を御覧になった方々はこれから御覧になる方々の興味を殺《そ》がないために筋を人に語らないで戴《いただ》きたい、と云《い》う断り書が冒頭に現われる」と承知していながら、どんでん返しまで、映画のストーリーをすべてくわしく説明してしまっています。しかも、どんでん返しを知らずに見ると「どう云う結末になるのかとワクワクさせられる」が、「おどかしの種が分ってしまえば浅はかな拵《こしら》え物であるに過ぎない」と断じています。じゃあ、ネタバレはしてはいけないのでは、とも思ってしまいますが。（ちなみに、映画『悪魔のような女』は、公開当時、世界中で大評判となり、多数の賞を受賞し、その後に大きな影響を与えました。原作はボワロー＝ナルスジャックで、ヒッチコックの『めまい』〔一九五八年〕の原作者でもあります。二〇二二年、IVCから4Kリマスター版のブルーレイとDVDが発売されました）

シモーヌ・シニョレを気に入っている理由が、「異常に残忍な感じのする風貌に惹《ひ》かれた」のであり、「大柄で薄汚れのしたような顔、濁《にご》った疲れたような皮膚、冷酷で、豪胆で、いかにも腹黒そうな女」と感じたからなのも、谷崎らしいです。

春川ますみについては、『美女礼讃』（『谷崎潤一郎全集　第二十五巻』中央公論新社）という文章でもふれています。春川ますみは、中年以降、気のいい女将さんやお母さん役でたくさんのテレビドラマに出演していて、『暴れん坊将軍』などは今でもよく再放送されるので、ご存じの方も多いでしょう。私もそういうイメージで春川ますみを知っていたので、今村昌平監督の『赤い殺意』での鬼気迫る演技を見たときには衝撃でした。すごい女優さんです。

谷崎の家族や知人の名前が、少し変えて、説明なしにどんどん出てきますが、当時の読者には、誰が誰だか、わかっていたようです。

なお、三点リーダー（…）、ダーシ（—）は、普通は二文字分ですが、谷崎は三文字分使っています。また、普通は段落の頭を一文字下げ（一字分空白を入れる）にしますが、これも谷崎はそうしないよう指示していたとのことで、そのままにしました。

●桂米朝『祝の壺』

先にも書いたように、昔のトイレは汲《く》み取り式で、地面に大きな壺《つぼ》を埋めて、そこに糞便をためる場合もあったようです。汲み取った糞尿は、野菜の肥料として使われていました。

また、水道のない昔は、井戸を掘っても良い水が出ない地域では、水屋が水を売りにきました。買った水は、壺に入れて、そこから汲んで使っていました。この壺は、水壺《みずつぼ》と呼ばれ、昔はどこの家の台所にもあったようです。一荷《いっか》入り、二荷入りとサイズがあって、一荷とは水屋がいちどにかつぐ分量（前後に二つの桶をかつぐので、桶二つ分）のことで、二荷入りはその倍量が入る大きな壺です。

つまり、飲み水も、糞尿も、壺にためていたわけです。そこから、こういう落語が生まれました。『祝の壺』は上方落語ですが、江戸落語にも同じ噺《はなし》があります。ただし、江戸落語では、長屋の便所を取り壊した後の使い古しの壺ということになっているので、汚さはより強烈です。

そして、江戸落語のほうには、ご隠居さんの熱病が、たった一度の排便で治り、壺の底にその便が黒く焼きつき、どう洗っても落ちない、というくだりはありません。私はこのくだりが、なんとも面白いと思うのです。

昔は病気になると、下剤をよく処方していました。毒素を外に出してしまおうということでしょう。便秘が病気を引き起こすという考え方もあったようです。もちろん、それが有効な場合もあるでしょうが、どんな病気でも下剤を使っていたのですから、弱っているところにそんなことをされては、たまったものではなかったでしょう。

大腸内視鏡検査を受けたことのある人ならご存じでしょうが、下剤をかけられて大腸を完全にきれいに洗われると、健康になるどころか、げっそりしてしまうものです。

ただ、排便にはどこか、よくないものを外に出せる、というような意識もあるのでしょう。糞尿を野菜の肥料にも使っていたのに不思議ですが。

便秘は苦しいですし、便が出れば、じつにすっきりします。そこからの発想なのかもしれません。

現代でも、デトックスで宿便を出すというようなことを提唱する人もいます。尿療法と言って、自分の尿を飲む療法が流行ったことがありましたが、うんこを食べる療法というのはいまだに聞いたことがありません。

うんこを出すということを、人はどのように感じているのか。出す一方です。そのことを考えるとき、外せない落語だと思います。

なお、この噺《はなし》に限らず、落語は糞尿をとても大らかにあつかっています。とくに上方落語は。私は漏らすようになってから、落語をとてもよく聴くようになりました。入院中、外出許可が出るたびに、病院の近くのお店に行って桂米朝の落語のカセットテープを一本ずつ買ってくるのが楽しみでした。桂米朝には救われたと思っています。

創元社から出ている『米朝落語全集 増補改訂版』全八巻は、じつに素晴らしいので、おすすめです。今回、お感じいただけたと思うのですが、落語を読むのもいいものです。CDでは『桂米朝 昭和の名演 百噺』のシリーズがおすすめです。

●佐藤春夫『黄金綺譚 潔癖の人必ず読むべからず』

私は潔癖症ですが、この随筆が大好きです。

というのも、私自身も、病気になってから、自分のうんこを毎日じっくりと観察し続けているからです。そして、佐藤春夫と同じことを感じていたのです。なので、これを読んだときには、まさに我が意を得たりでした。

私自身の経験でも、食材の善し悪しは、その後のうんこの状態でわかります。あれはいい食材だったんだなとか、なんだ、高いだけでよくなかったんだなとか。その判定は舌よりもたしかで、面白いものだなあと思っていました。

「昨日の料理の食材はかなりよかったようだよ」といっしょに食事をした人に言ったとき、「そうなんだ。なんでわかったの？」と問い返されると、返事に困るのですが。

「ただ口舌にのみ甘美で胃腸に入って快《こころよ》からざるごちそう」を佐藤春夫は「人を毒するもの」と否定していますが、まったく同感です。身体に入った後、身体を健やかにし、見事なうんことなる食事こそ、本当のごちそうと言えるでしょう。

ただ、うんこでそこまで判断できるようになるには何年もかかります。不思議なのは、なぜ佐藤春夫がそこまで自分のうんこをながめていたかです。私の場合は大腸の病気ですから、病気の状態を確認するためにうんこを観察していました。佐藤春夫も「自身の健康」のためとは言っていますが、「まだ一度も病気らしい病気をしたこともない」とのこと。それなのに、こんなに積極的にうんこをながめる人がいるというのは驚きです。しかも、「稀《まれ》に同好の士がいて、研究発表を微《び》に入り細《さい》を穿《うが》って相互に交換するのも亦《また》たのしい」というのですから、他にもそういう人がいたようです。

「人肥《じんぴ》の汲取人《くみとりにん》たちが、彼らの採取場にあって、その臭気によって、ここの家族中に病人のいるらしいことや、その家の食味におごっていることや、さてはあまりにつましきに過ぎることなどを判断したと聞き及ぶ」というのも驚きました。そこまでわかるものなのかと。

やはり、先にもあったように、「排泄物は『大きな便《たよ》り』」のようです。

●伊沢正名『野糞の醍醐味』（『くう・ねる・のぐそ　自然に「愛」のお返しを』より）

私は野糞をしたことがありません。小さい頃、日本昔ばなし的な田舎に住んでいて、山の中をかけ回り、家の便所は汲み取り式で、風呂は薪で焚《た》く五右衛門風呂だったこともあるのですが、それでも野糞をしたことはありません。それは、この作品にも書いてあるように、危険だからです。無防備な状態で、しばらくじっとしていなければならず、後ろがよく見えなくなります。むきだしになったお尻をマムシに咬《か》まれたりしたらと思うと、ぞっとします。蚊やアブやハチなどもこわいです。

都会での生活になれば、今度は野糞する場所がありません。ですから、半世紀近くも野糞をつづけているというのは、途方もなくすごいことだと思います。

自然から得たものを食べて、排泄したものを自然に還《かえ》す。そういう生活へのあこがれを抱いている人はけっこう多いのではないかと思います。しかし、あこがれるだけで、実際にはほとんど無理です。

それを実践している人がいるというのは、驚きですし、その人の書いたものは、読んでみる価値があります。やってみないとわからないことがたくさんありますし、やってみるとわかることもたくさんあるからです。

『野糞の醍醐味』は、『くう・ねる・のぐそ　自然に「愛」のお返しを』（山と溪谷社）という本の第四章です。他の章も面白いので、ぜひお読みになってみてください。

●山田稔『スカトロジーのために』（『スカトロジア（糞尿譚）』より）

科学者や医者や人類学者などがうんこについて真面目に書いている本はありますが、文学者がうんこについて真摯《しんし》に語っている本は少ないです。

その中でも、この『スカトロジア（糞尿譚）』という本は白眉《はくび》と言えるでしょう。著者の山田稔は「古今東西の文学のうちで私の眼についた雑多な糞尿譚と、それについての気ままな感想である」と書いていますが、語り口が魅力的でひきこまれますし、分析や解説が興味深く、さまざまなうんこ文学を知ることもできます。

「スカトロジーのために」は、この本の後半の章です。とくにこの章を選んだのは、「私見によればスカトロジーには大別して二つのタイプがあるように思われる。『陽のスカトロジー』と『陰のスカトロジー』、あるいは『解放型＝ルネッサンス型』と『挫折型＝実存型』である」という分類を面白いと思ったからです。糞尿譚には種類があると漠然とは感じていたのですが、この分類で、なるほどとすっきりしました。

本書（『うんこ文学』）はこの分類で言うと、まさに後者の「陰のスカトロジー」「挫折型＝実存型」のほうの文学を集めたものと言えるでしょう。

この『スカトロジーのために』だけでなく、他の章も面白いので、ぜひお読みになってみてください。

●ヤン・クィジャ（梁貴子）『半地下生活者』

翻訳家の斎藤真理子さんから教えていただいて、もうぜひこの作品を収録したい、これを入れなくてどうするというくらい、惚《ほ》れ込みました。

主人公が住んでいる部屋は、地下にあり、でも完全に閉ざされた地下室というわけでもなく、「ほとんど天井に届きそうなところに小さな跳ね上げ式の窓が一つある」「この窓は、外から見るとほとんど地面すれすれにある」という不思議な造りになっています。もし『パラサイト 半地下の家族』という映画を見ていなかったら、イメージするのが難しいかもしれません。その映画に出てくる半地下の部屋の窓とそっくりなので、映画を見た人にはわかりやすいでしょう。

ただ、同じような窓のついた半地下の部屋でも、『パラサイト 半地下の家族』のほうはトイレがついていました（逆流したり大変なことになりますが……）。しかし、この短編の主人公が住んでいる半地下の部屋にはトイレもありません。一階の大家《おおや》のトイレを借りることになっているのですが、この大家が決して玄関のドアを開けてくれません。

人間は、排泄しないで生きることはできません。何も食べなくても、うんこは出ます。排泄は、生き物としてどうしようもない絶対的な生理現象です。それを自分の住居で行なうことができなくなってしまうのです。

主人公は職場のトイレを使おうとします（その職場もまた地下にあります）。「だが妙なことに、どう頑張っても思うようにはいかなかった」

こういうことありますよね。今、うんこを出しておきたいのに、そういうときはなぜか出ない……。そのくせ、今はまずいというときには、我慢できなくなったりする。

「頑張れば頑張るほど、工場では全く便意がやってこなかった。だが地下室に戻り、もう絶対に便意を催《もよお》してはならないと覚悟を決めるや否《いな》や、時を選ばず下腹がむずむずするのだった」

うんこというのは、自分の出したいときに自由自在に出せるわけではありません。自分の身体だからといって、思うようにはならないということを、思い知らせてくれるのが、うんこを出すという行為です。

「彼はぎゅっと下腹を押さえてうずくまった。額《ひたい》には汗が噴《ふ》き出し、腕には粟粒《あわつぶ》のように鳥肌が立った。じめじめする布団に頭を突っ込んでもみたし、立ち上がって狭い部屋をぐるぐる回ったりもしてみたが、何の役にも立たなかった。昼間はあんなに催さなかった便意が、この部屋に帰ってくるだけでなぜこうも暴れ出すのか、彼は得体《えたい》の知れない自分の腹にとことん絶望した」

たまらない表現です。腹は、自分の身体は、じつは「得体の知れない」ものです。社会の得体の知れなさ、身近な人々の得体の知れなさ、自分自身の身体の得体の知れなさが、うんこによって見事に描き出されています。そして、うんことはどういうものなのかも、見事に描き出されています。生理現象であり、個人的なことであり、人間関係にかかわり、じつは社会的なことでもあるのです。

どうしようもなさ、ままならなさが、じっくり描かれているのに、読み終えたあと、不思議に、爽《さわ》やかとさえ感じられる感動があります。

なお、映画『パラサイト 半地下の家族』では、半地下の住民の身体にしみついた、においの話が出てきますが、この短編でも「地下生活者だけの匂いだった」と、においのことが出てきます。先にも書いたように、うんこもにおいが大きな問題です。今後、「におい」をテーマにしたアンソロジーも編んでみたいものだと思っています。

この短編は『ウォンミドンの人々』という連作短編集の中の一編です。ソウル近郊のプチョン市ウォンミドンという町に住む人々の姿が描かれています。他の短編も素晴らしいので、ぜひ読んでみていただければと思います。『ウォンミドンの人々』（崔《チェ》

真碩訳《ジンソク》　新幹社）という日本語訳が出版されています。新幹社の社長の高二三《コイサム》さんは、今回、短編集の中から一作だけ新訳して収録することを、快諾してくださって、それどころかとても応援してくださいました。版権の取得では、株式会社クオン、社長の金承福《キムスンボク》さんに大変お世話になりました。

多くの方の助力で収録できたこの作品、ぜひご堪能《たんのう》いただきたいです。

●**土田よしこ『ピクニックにきたけれど…の巻』**（『つる姫じゃ〜っ！』より）

私には六歳年上の姉がいて、その姉が買っていた「週刊マーガレット」で『つる姫じゃ〜っ！』、「月刊りぼん」で『わたしはしじみ！』と出会いました。どちらも土田よしこの作品で、同時期に連載されていました。

当時、少女漫画は背景に花が舞い散っているような恋愛ものが多く、小学生男子の私には面白く感じられなかったのですが、土田よしこの作品は異色で、少年漫画以上に面白く感じられました。

そうして土田よしこの作品と出会っておいて、本当によかったと、後になって私は思いました。漏らすようになってから、思い出して、また再読するようになり、とても救われたからです。

この『ピクニックにきたけれど…の巻』だけでなく、つる姫はよく漏らします。漏らせば、汚がられますし、みんなから非難されたり、怒られたりします。しかし、そのせいでつる姫が傷ついたり、学校に行けなくなったりはしません。なぜなら、それは日常の出来事のひとつにすぎないからです。宿題を忘れたとか、友達とケンカしたとか、カゼをひいたとか、そういうことと同列なのです。漏らすこともあるわけです。

これこそ、理想の世界なのではないかと私は思います。

漏らして、誰も汚がらない、嫌がらない、何事もなかったようにふるまってくれるというのは、ちょっと現実にはありえないと思います。そこまで望むのは無理があるでしょう。しかし、「生きているんだから、漏らすこともある」というふうに、せめて吐いてしまうことと同列くらいに受け入れてくれたら、どんなにいいかと思います。今の「漏らすなんてありえない」という社会から、「漏らすことがあるのもあたりまえ」という社会になってほしいということです。

そのためにも、土田よしこの作品を多くの人が読んで、そういう世界のイメージを心の中に持ってほしいと願います。

土田よしこは『怒っか〜ん!』(集英社)というエッセイ集で、小学校一年生のときの思い出を書いています。「オシッコをもらしたり、迷子になったり、体が弱くてよく学校も休んだ。そんな私を先生はいつも優しい目で見守っていてくれた」

そういう先生がいてくれたからこそ、土田よしこはこのような作品世界が描けたのでしょう。

七〇年代に連載されていた漫画ですが、今でも、うんこが出てくる漫画で、これほどの作品は、そうはないのではないかと思います。

土田よしこの作品は、愛蔵版やベストセレクションなどで、何度も復刊され、ずっと読みつづけられてきました。やはり、かけがえのない魅力があるからでしょう。

二〇二二年にも、『完全復刻版　つる姫じゃ～っ!』全九巻（アニマルハウス）が電子版で刊行され、AmazonのKindleストアで販売されています。

ぜひお読みになってみてください。

●番外編1　ラブレー『お尻を拭く素晴らしい方法を考え出したガルガンチュアに、グラングジエが感心する』（『ガルガンチュアとパンタグリュエル物語』より）

このアンソロジーでは、生きるかなしみとしての排泄、漏らすことを描いた作品を集めました。先にも書きましたように、山田稔の『スカトロジーのために』の分類で言えば、「陰のスカトロジー」「挫折型＝実存型」ということになります。

そこで、最後に番外編として、「陽のスカトロジー」「解放型＝ルネッサンス型」の文学もご紹介してみました。山田稔もその「代表的な例」と書いている、ラブレーの『ガルガンチュアとパンタグリュエル物語』からです。

ラブレーは十六世紀のフランスの物語作家です。『ガルガンチュアとパンタグリュエル物語』は、ルネサンス文学の最大の傑作とされています。

この『お尻を拭《ふ》く素晴らしい方法を考え出したガルガンチュアに、グラングジエが感心する』は、第一之書『ガルガンチュア物語』の第十三章で、ガルガンチュアが父親のグラングジエに向かって、おしりを拭くベストな方法を説明します。

何で拭くのがいいのか、ガルガンチュアはいろいろ試してみたのです。でも、紙とか葉っぱとかそんなレベルではなく、レタスとかバラとかスリッパとかウサギとか弁護士の書類入れとか、ふだんはおしりとは無縁のものばかりです。そしてついに到達したのは、「最高の尻拭きは、産毛《うぶげ》でふかふかのガチョウの雛《ひな》だってこと。ぼくはそう断言するよ」という境地。なんとも意外です。

このラブレーの『ガルガンチュアとパンタグリュエル物語』は、いろいろな食べものや料理やお酒の話、そして糞尿の話で満ちています。ところが、ユートピアとして描かれる僧院に関しては、「それまで見られたような『飲む』ものや『食べる』ものに関する詳細で膨大な記述は、全然ないのです。いわんや、下《しも》がかったことは、一言一句も見当たりません」と渡辺一夫が書いています（『狂気について　渡辺一夫評論選』岩波文庫）。

「陽のスカトロジー」であるラブレーの物語でも、ユートピアでは、食べて出すということは描写されないのです。食べなければならない、出さなければならないということは、やはり生きるかなしみなのかもしれません。

アナトール・フランスはこう書いています。「わたくしが造物主であったら（中略）昆虫に似たものに男や女を造っていたであろう。（中略）ある種の昆虫は、その最後の変容においては、翅《はね》のみを持っていて、胃は持たない。かれらはこうした清められた形のもとに生まれ変わって、束《つか》の間《ま》を愛し、そして死ぬばかりなのである」（『エピクロスの園』岩波文庫）

食べたり出したりしないということは、人間にとってひとつの夢、理想なのかもしれません。

なお、シャルル・ノディエは、この『ガルガンチュア』の第十三章について、この章のなかに「人智の要約が含まれている」と書いているそうです（『フランスの愛書家たち』生田耕作編訳　奢覇都館)。

●番外編2　品川亮『お尻と大便のことにつきまとわれる』

このアンソロジーの編集を担当してくださった品川亮さんが、「こういうアンソロジーを担当する以上、編集者も部外者でいるわけにはいかない」ということで、ご自身の体験を書いてくださいました。

興味深かったのは、最初に私が「品川さんは大を漏らしたことはないんですか?」と聞いたときには、品川さんは「ありますけど、トラウマとかにはまったくなってないです」とおっしゃっていたのです。それが、かなりたってから、「もしかすると、トラウマなのかもしれません」とおっしゃるようになりました。封印がそれだけしっかりされていたということなのか……。

こうして書いてくださった勇気を、本当にありがたいと思います。

最後、旅先での心細さややりきれなさにつながるところが、私はとても好きです。六週間、スーツケースの中にしまいこまれていた、まるくかためられたシャツのイメージも。

●巻末の言葉　レオナルド・ダ・ヴィンチ

レオナルド・ダ・ヴィンチがこんなことを言っているというのは意外かも知れません。でも、ちゃんと手記に書いているんです。『レオナルド・ダ・ヴィンチの手記』（杉浦明平訳　岩波文庫）の上巻からの引用です。

さすが、人体の解剖も熱心にやっていただけあって、人間の身体の仕組み、生理に精通しています。「便所は待つな、ためらうな」というのは、まったくその通りです。

子どもの頃に親から、「食事中にトイレに行くのは行儀がよくない」としつけられた人は少なくありません。しかし、生理現象を無理に我慢するのは、当然、よくありません。まして、ルールを作って行きにくくするなんて、とんでもないことです。

うんことかおしっことか「声に出して言うことも下品だ」としつけられる人も少なくありません。しかし、現に人間は毎日、排泄するのです。それを言えなくし、下品というレッテルを貼るのはどうなのでしょう？　排泄に問題が起きたとき、漏らしたとき、人に相談しづらくなりますし、よけいにからかわれやすくなってしまいます。

少なくとも「トイレに行きたい」くらいは、食事中であろうが、授業中であろうが、会議中であろうが、マナー違反ではないとすることこそ、マナーのように思います。

●この本を出せたことの感謝と御礼

先にも書いたように、私は『食べることと出すこと』(医学書院)という本で、自分の漏らした体験を書きました。

そして、その本のプロフィールの最後に、「今後の夢を書いてほしい」と編集者の白石正明さんから言われて、私は「漏らすせつなさを描いた文学ばかりを集めた、『排泄文学』というアンソロジーをいつか出せたらと思っています」と書きました。二〇二〇年のことです。

翌年、『食べることと出すこと』が「キノベス!2021」の7位に選ばれたとき、紀伊國屋書店のブランド事業推進部の四井志郎さんが「いつか排泄文学アンソロジーを読みたい」とコメントしてくださったことも、とても励みになりました。

また、読者の方からも、「『排泄文学』は出ないんですか?」と、かなりお問い合わせをいただきました。それも、とても支えとなりました。

あれから三年近くかかってしまいましたが、ついにそのアンソロジーが完成し、みなさまにお届けできることは、本当に感無量です。

このような特殊なテーマを受け入れてくださって、編集と翻訳と執筆を引き受けてくださった品川亮さん、ちくま文庫での刊行を実現してくださった筑摩書房の山本充《みつる》さんには、ただただ感謝の気持ちでいっぱいです。

斎藤真理子さんに韓国文学を新訳していただけたのも、本当に嬉しいことでした。

表紙の絵はぜひ祖敷大輔さんにと願っていたのですが、ご快諾いただけ、その願いもかないました。そして、川名潤さんが今回も見事な装幀に仕上げてくださいました。

念願だったアンソロジーを、このような素晴らしいメンバーで作れたことは、とても幸運だったと思います。

そして、作品の掲載をご承諾くださった著作権者の皆様、各出版社の皆様、誠にありがとうございました。『うんこ文学』なんてタイトルのアンソロジーに載せるのはいやだと、断られるのではないかと、とても心配でした。実際には、そういう方はひとりもおられませんでした。むしろ、そのことに驚き、深く深く感謝しました。お返事をドキドキして待って、ご許可いただけたときの喜びはとても大きなものでした。

なお、私は「『排泄文学』というアンソロジーをいつか出せたら」と書いていたのに、それが『うんこ文学』というタイトルに変わっています。それは、筑摩書房の編集部のほうから、「『うんこ文学』というタイトルにしては？」というご提案があったのです。じつは私は反射的に「いやだ」と思ってしまいました。自分の本のラインナップに『うんこ文学』というタイトルが並ぶのは恥ずかしいとさえ、思ってしまいました。

その後で、ハッとしました。そういう気持ちこそ、私自身が漏らしてしまったとき、私を苦しめたものではないのか。

「うんこ」という言葉には、笑い、からかい、下品、汚いといったイメージが強く結びついています。だからこそ、読み終えたときに、その「うんこ」のイメージが少しでも変わるような、そういうアンソロジーを作る必要があるのではないか。

そう思って、私は『うんこ文学』というタイトルを承諾しました。今は、このタイトルにしてよかったと思っています。

読んでくださったみなさまが、「うんこ」と聞いたときに、今後は、生きるかなしみということを、少しでも思い浮かべていただけたとしたら、とても嬉しいことです。

なお、「うんこ」というタイトルになったため、「おしっこ」のほうの作品は今回は収録しませんでした。そちらにも素晴らしい作品があるので、いつか『おしっこ文学』も出せたらと願っています。

最後になりましたが、今この本を読んでくださっている皆様に、心より御礼を申しあげます。手にとりにくかった方もおられるでしょう。よくぞ、手にとってくださいました。誠にありがとうございます！

またお会いできることを願っています。

底本一覧　＊歴史的仮名遣いは現代仮名遣いに改め、旧字体は新字体に改め、踊り字（「ゝ・〱」など）は正字に改め、読みにくい漢字には新たにふりがなをつけました。また、注を新たにつけました。

●尾辻克彦「出口」（講談社『出口』）
●山田風太郎「春愁糞尿譚」（文藝春秋『オール讀物』一九七八年一月号）
●筒井康隆「コレラ」（KADOKAWA　角川文庫『如菩薩団　ピカレスク短篇集』）
●バルザック「ルイ十一世の陽気ないたずら（Les Joyeulsetez du roy Loys le unziesme）」（Honoré de Balzac *Les Contes Drolatiques*）
●山田ルイ53世「ヒキコモリ漂流記」（KADOKAWA　角川文庫『ヒキコモリ漂流記　完全版』）
●阿川弘之「黒い煎餅」（新潮社『阿川弘之全集　第十巻』）
●吉行淳之介「石膏色と赤」（講談社　講談社文庫『石膏色と赤』）
●谷崎潤一郎「過酸化マンガン水の夢」（中央公論社『過酸化マンガン水の夢』）
●桂米朝「祝の壺」（創元社『米朝落語全集　増補改訂版　第一巻』）
●佐藤春夫「黄金綺譚」（青空文庫）

●伊沢正名「野糞の醍醐味」（山と溪谷社　ヤマケイ文庫『くう・ねる・のぐそ　自然に「愛」のお返しを』）
●山田稔「スカトロジーのために」（講談社　講談社文庫『スカトロジア（糞尿譚）』）
●ヤン・クイジャ（梁貴子）「半地下生活者（지하생활자）」（도서출판 쓰다『원미동 사람들』）
●土田よしこ「ピクニックにきたけれど…の巻」（アニマルハウス　電子版『完全復刻版 つる姫じゃ〜っ！ 4』）
●ラブレー「お尻を拭く素晴らしい方法を考え出したガルガンチュアに、グラングジエが感心する（Comment Grandgousier connut l'esprit merveilleux de Gargantua à l'invention d'un torchecul）」（François Rabelais *Gargantua*）

作中には、一部、現在の社会通念や人権意識に照らして不当・不適切な表現がみられますが、執筆当時の時代的背景や作品の歴史的価値を尊重して、出典のままで収録しております。

斎藤真理子（さいとう・まりこ）

韓国語翻訳者。訳書にパク・ミンギュ『カステラ』（ヒョン・ジェフンとの共訳／クレイン）、チョ・セヒ『こびとが打ち上げた小さなボール』（河出書房新社）、ハン・ガン『すべての、白いものたちの』（河出書房新社）、チョン・ミョングァン『鯨』（晶文社）、チョン・セラン『フィフティ・ピープル』（亜紀書房）、チョ・ナムジュ『82年生まれ、キム・ジヨン』（筑摩書房）、ファン・ジョンウン『ディディの傘』（亜紀書房）、パク・ソルメ『もう死んでいる十二人の女たちと』（白水社）など。二〇一五年、『カステラ』で第一回日本翻訳大賞受賞。二〇二〇年、『ヒョンナムオッパへ』（チョ・ナムジュ他、白水社）で韓国文学翻訳大賞（韓国文学翻訳院主宰）受賞。著書に『韓国文学の中心にあるもの』（イースト・プレス）。

品川亮（しながわ・りょう）

文筆、翻訳、編集、映像制作業。著書に『366日 映画の名言』、『366日 文学の名言』（三才ブックス／後者は共著）、『美しい純喫茶の写真集』（パイインターナショナル）、『〈帰国子女〉という日本人』（彩流社）など。訳書にウォルター・モズリイ『アントピア だれもが自由にしあわせを追求できる社会の見取り図』（共和国）、トーマス・ジーヴ『アウシュヴィッツを描いた少年』（ハーパーコリンズ・ジャパン）、ラーシュ・ケプレル『墓から蘇った男』（扶桑社）など。映像作品にはドキュメンタリー『ほそぼそ芸術 ささやかな天才、神山恭昭』のほか、『H・P・ラヴクラフトのダニッチ・ホラーその他の物語』などがある。

便所は待つな、ためらうな。

レオナルド・ダ・ヴィンチ

編集付記
本書は、ちくま文庫のためのオリジナル編集である。

三島由紀夫レター教室　三島由紀夫

五人の登場人物が巻き起こす様々な出来事を手紙で綴る。恋の告白・借金の申し込み・見舞状等、一風変ったユニークな文例集。（群ようこ）

コーヒーと恋愛　獅子文六

恋愛は甘くてほろ苦い。とある男女が巻き起こす恋模様をコミカルに描く昭和の傑作が、現代の「東京」によみがえる。（曽我部恵一）

七時間半　獅子文六

東京—大阪間が七時間半かかっていた昭和30年代、特急「ちどり」を舞台に乗務員とお客たちのドタバタ劇を描く隠れた名作が遂に甦る。（千野帽子）

青空娘　源氏鶏太

主人公の少女、有子が不遇な境遇から幾多の困難にぶつかりながらも健気にそれを乗り越え希望を手にする日本版シンデレラ・ストーリー。（山内マリコ）

御身　源氏鶏太

矢沢章子は突然の借金返済のため自らの体を売ることを決意する。しかし愛人契約の相手・長谷川との出会いが彼女の人生を動かしてゆく。（寺尾紗穂）

カレーライスの唄　阿川弘之

会社が倒産した！　どうしよう。美味しいカレーライスの店を始めよう。若い男女の恋と失業と起業の奮闘記。昭和娯楽小説の傑作。（平松洋子）

愛についてのデッサン　野呂邦暢　岡崎武志編

夭折の芥川賞作家が古書店を舞台に人間模様を描く「古本青春小説」。古書店の経営や流通など編者ならではの視点による解題を加え初文庫化。

おれたちと大砲　井上ひさし

家代々の尿筒掛、草履取、駕籠持、髪結、馬方、いまだ修業中の彼らは幕末の将軍様を救うべく、奮闘努力、東奔西走。爆笑、必笑の幕末青春グラフィティ。

真鍋博のプラネタリウム　真鍋博　星新一

名コンビ真鍋博と星新一。二人の最初の作品『おーい　でてこーい』他、星作品に描かれた挿絵と小説冒頭をまとめた幻の作品集。（真鍋真）

方丈記私記　堀田善衞

中世の酷薄な世相を覚めた眼で見続けた鴨長明。その人間像を自己の戦争体験に照らして語りつつ現代日本文化の深層をつく。巻末対談＝五木寛之

落穂拾い・犬の生活 小山清

明治の匂いの残る浅草に育ち、純粋無比の作品を遺して短い生涯を終えた小山清。いまなお新しい、清らかな祈りのような作品集。（三上延）

須永朝彦小説選 須永朝彦 山尾悠子編

美しき吸血鬼、チェンバロの綺羅綺羅しい響き、暗い水に潜む蛇……独自の美意識と博識で幻想文学ファンを魅了した小説作品から山尾悠子が25篇を選ぶ。

紙の罠 都筑道夫 日下三蔵編

都筑作品でも人気の“近藤・土方シリーズ”が遂に復活。贋札作りをめぐり巻き起こる奇想天外アクション小説。二転三転する物語の結末は予測不能。

幻の女 田中小実昌 日下三蔵編

近年、なかなか読むことが出来なかった“幻”のミステリ作品群が編者の詳細な解説とともに甦る。夜の街の片隅で起こる世にも奇妙な出来事たち。

第8監房 柴田錬三郎 日下三蔵編

剣豪小説の大家として知られる柴錬の現代ミステリ短篇の傑作が奇跡の文庫化。〈巧みなストーリーテリング〉と〈衝撃の結末〉で読ませる狂気の8篇。

飛田ホテル 黒岩重吾

刑期を終えたやくざ者に起きた妻の失踪を追う表題作など、大阪のどん底で交わる男女の情と性。直木賞作家の傑作ミステリ短篇集。（難波利三）

『新青年』名作コレクション 『新青年』研究会編

探偵小説の牙城として多くの作家を輩出した伝説の総合娯楽雑誌『新青年』。創刊から101年を迎え新たな視点で各時代の名作を集めたアンソロジー。

ゴシック文学入門 東雅夫編

江戸川乱歩、小泉八雲、平井呈一、日夏耿之介、澁澤龍彦、種村季弘――。「ゴシック文学」の世界へと誘う厳選評論・エッセイアンソロジーが誕生！

刀 東雅夫編

名刀、魔剣、妖刀、聖剣……古今の枠を飛び越えて「刀」にまつわる怪奇幻想の名作が集結。業物同士が唸りを上げる文豪×怪談アンソロジー、登場！

家が呼ぶ 朝宮運河編

ホラーファンにとって永遠のテーマの一つといえる「こわい家」。屋敷やマンション等をモチーフとした逃亡不可能な恐怖が襲う珠玉のアンソロジー！

土曜日は灰色の馬　恩田陸
顔は知らない、見たこともない。けれど、おはなしの神様はたしかにいる――。あらゆるエンタメを味わい尽くす、傑作エッセイを待望の文庫化！

この話、続けてもいいですか。　西加奈子
ミッキーこと西加奈子の目を通すと世界はワクワク、ドキドキ輝く。いろんな人、出来事、体験がてんこ盛りの豪華エッセイ集！　（中島たい子）

なんらかの事情　岸本佐知子
エッセイ？　妄想？　それとも短篇小説？　……モヤッとするのに心地よい！　翻訳家・岸本佐知子の頭の中を覗くような可笑しな世界へようこそ！

絶叫委員会　穂村弘
町には、偶然生まれては消えてゆく無数の詩が溢れている。不合理でナンセンスで真剣だからこそ可笑しい、天使的な言葉たちへの考察。　（南伸坊）

柴田元幸ベスト・エッセイ　柴田元幸編著
例文が異常に面白い辞書。名曲の斬新過ぎる解釈。そして工業地帯で育った日々の記憶。名翻訳家が自ら選んだ、文庫オリジナル決定版。

翻訳教室　鴻巣友季子
「翻訳をする」とは一体どういう事だろう？　第一線の翻訳家とその母校の生徒達によるとっておきの超・入門書。スタートを切りたい全ての人へ。

買えない味　平松洋子
一晩寝かしたお芋の煮っころがし、土瓶で淹れた番茶、風にあてた干し豚の滋味……日常の中にこそある、おいしさを綴ったエッセイ集。　（中島京子）

杏のふむふむ　杏
連続テレビ小説「ごちそうさん」で国民的な女優となった杏が、それまでの人生を、人との出会いをテーマに描いたエッセイ集。　（村上春樹）

たましいの場所　早川義夫
「恋をしていいのだ。今を歌っていくのだ」。心を揺るがす本質的な言葉。文庫用に最終章を追加。帯文＝宮藤官九郎　オマージュエッセイ＝七尾旅人

うれしい悲鳴をあげてくれ　いしわたり淳治
作詞家、音楽プロデューサーとして活躍する著者の小説＆エッセイ集。彼が「言葉」を紡ぐと誰もが楽しめる「物語」が生まれる。　（鈴木おさむ）

いっぴき　高橋久美子

初めてのエッセイ集に大幅な増補と書き下ろしを加え待望の文庫化。バンド脱退後、作家・作詞家として活躍する著者の魅力を凝縮した一冊。

家族最初の日　植本一子

二〇一〇年二月から二〇一一年四月にかけての生活の記録(家計簿つき)。デビュー作『働けECD』を大幅に増補した完全版。

月刊佐藤純子　佐藤ジュンコ

注目のイラストレーター(元書店員)のマンガエッセイが大増量してまさかの文庫化! 仙台の街や友人との日常を描く独特のゆるふわ感はクセになる!

名短篇、ここにあり　北村薫　宮部みゆき編

読み巧者の二人の議論沸騰し、選びぬかれたお薦め小説12篇。となりの宇宙人/冷たい仕事/隠し芸の男/少女架刑/あしたの夕刊/網/誤訳ほか。

なんたってドーナツ　早川茉莉編

貧しかった時代の手作りおやつ、日曜学校で出合った素敵なお菓子、毎朝宿泊客にドーナツを配るホテル、哲学させる穴……。文庫オリジナル。

猫の文学館I　和田博文編

寺田寅彦、内田百閒、太宰治、向田邦子……いつの時代も、作家たちは猫が大好きだった。猫の気まぐれに振り回されている猫好きに捧げる47篇!!

月の文学館　和田博文編

稲垣足穂のムーン・ライダース、中井英夫の月蝕領主の狂気、川上弘美が思い浮かべる「柔らかい月」……選りすぐり43篇の月の文学アンソロジー。

絶望図書館　頭木弘樹編

心から絶望したひとへ、絶望文学の名ソムリエが古今東西の小説、エッセイ、漫画等々からぴったりの作品を紹介。前代未聞の絶望図書館へようこそ!

小説の惑星　ノーザンブルーベリー篇　伊坂幸太郎編

小説って、超面白い。伊坂幸太郎が選び抜いた究極の短編アンソロジー、青いカバーのノーザンブルーベリー篇! 編者によるまえがき・あとがき収録。

小説の惑星　オーシャンラズベリー篇　伊坂幸太郎編

小説のドリームチーム、誕生。伊坂幸太郎選・至高の短編アンソロジー、赤いカバーのオーシャンラズベリー篇! 編者によるまえがき・あとがき収録。

本屋、はじめました　増補版　辻山良雄
リブロ池袋本店のマネージャーだった著者が、自分の書店を開業するまでの全て。その後のことを文庫化にあたり書き下ろした。（若松英輔）

ガケ書房の頃　完全版　山下賢二
京都の個性派書店青春記。2004年の開店前からその後の展開まで。資金繰り、セレクトへの疑念など本音で綴る。帯文＝武田砂鉄（島田潤一郎）

わたしの小さな古本屋　田中美穂
会社を辞めた日、古本屋になることを決めた。倉敷の空気、古書がつなぐ人の縁、店の生きものたち……。女性店主が綴る蟲文庫の日々。（早川義夫）

ぼくは本屋のおやじさん　早川義夫
22年間の書店としての苦労と、お客さんとの交流。どこにもありそうで、ない書店。30年来のロングセラー！（大槻ケンヂ）

女子の古本屋　岡崎武志
女性店主の個性的な古書店が増えています。カフェを併設したり雑貨も置くなど、独自の品揃えで注目の各店を紹介。追加取材して文庫化。（近代ナリコ）

野呂邦暢　古本屋写真集　野呂邦暢　岡崎武志／古本屋ツアー・イン・ジャパン編
野呂邦暢が密かに撮りためた古本屋写真が存在する。2015年に書籍化された際、話題をさらった写真集が増補、再編集の上、奇跡の文庫化。

ボン書店の幻　内堀弘
1930年代、一人で活字を組み印刷し好きな本を刊行していた出版社があった。刊行人鳥羽茂と書物の舞台裏の物語を探る。（長谷川郁夫）

「本をつくる」という仕事　稲泉連
ミスをなくすための校閲。本の声である書体の制作。もちろん紙も必要だ。本を支えるプロに仕事の話を聞きにいく情熱のノンフィクション。（武田砂鉄）

あしたから出版社　島田潤一郎
青春の悩める日々、創業への道のり、編集・装丁・営業の裏話、忘れがたい人たち……「ひとり出版社」を営む著者による心打つエッセイ。（頭木弘樹）

ビブリオ漫画文庫　山田英生編
古書店、図書館など、本をテーマにした傑作漫画集。主な収録作家――水木しげる、永島慎二、松本零士、つげ義春、楳図かずお、諸星大二郎ら18人。

バベットの晩餐会　I・ディーネセン　桝田啓介訳

バベットが祝宴に用意した料理とは……。一九八七年アカデミー賞外国語映画賞受賞作の原作と遺作「エーレンガート」を収録。（田中優子）

ヘミングウェイ短篇集　アーネスト・ヘミングウェイ　西崎憲編訳

ヘミングウェイは弱く寂しい男たち、冷静で寛大な女たちを登場させ「人間であることの孤独」を描く。繊細で切れ味鋭い14の短篇を新訳で贈る。

カポーティ短篇集　T・カポーティ　河野一郎編訳

妻をなくした中年男の一日を、一抹の悲哀をこめ、ややユーモラスに描いた本邦初訳の「楽園の小道」他、選びぬかれた11篇。文庫オリジナル。

フラナリー・オコナー全短篇（上・下）　フラナリー・オコナー　横山貞子訳

キリスト教を下敷きに、残酷さとユーモアのまじりあう独特の世界を描いた第一短篇集『善人はなかなかいない』を収録。個人全訳。（蜂飼耳）

動物農場　ジョージ・オーウェル　開高健訳

自由と平等を旗印に、いつのまにか全体主義や恐怖政治が社会を覆っていく様を痛烈に描き出す。『一九八四年』と並ぶG・オーウェルの代表作。

パルプ　チャールズ・ブコウスキー　柴田元幸訳

人生に見放され、酒と女に取り憑かれた超ダメ探偵が次々と奇妙な事件に巻き込まれる。伝説的カルト作家の遺作、待望の復刊！（東山彰良）

ありきたりの狂気の物語　チャールズ・ブコウスキー　青野聰訳

すべてに見放されたサイテーな毎日。その一瞬の狂った輝きを切り取る、伝説的カルト作家の愛と笑いと哀しみに満ちた異色短篇集。（戌井昭人）

死の舞踏　スティーヴン・キング　安野玲訳

帝王キングがあらゆるメディアのホラーについて圧倒的な熱量で語り尽くす伝説のエッセイ。「2010年版へのまえがき」を付した完全版。（町山智浩）

スターメイカー　オラフ・ステープルドン　浜口稔訳

宇宙の発生から滅亡までを壮大なスケールで描いた幻想の宇宙誌。1937年の発表以来、各方面に多大な影響を与えてきたSFの古典を全面改訳で。

トーベ・ヤンソン短篇集　トーベ・ヤンソン　冨原眞弓編訳

ムーミンの作家にとどまらないヤンソンの作品の奥行きと背景を伝える短篇のベスト・セレクション。「愛の物語」「時間の感覚」「雨」など、全20篇。

品切れの際はご容赦ください

ちくま文庫

うんこ文学《ぶんがく》

——漏《も》らす悲《かな》しみを知《し》っている人《ひと》のための17の物語《ものがたり》

二〇二三年二月十日　第一刷発行

編　者　頭木弘樹（かしらぎ・ひろき）

発行者　喜入冬子

発行所　株式会社　筑摩書房
東京都台東区蔵前二―五―三　〒一一一―八七五五
電話番号　〇三―五六八七―二六〇一（代表）

装幀者　安野光雅

印刷所　凸版印刷株式会社

製本所　凸版印刷株式会社

ISBN978-4-480-43866-9　C0193